KB096322

特허청 등록

최보규 강사책출간 코칭전문가

등록 번호: 제 40-2200794 호

지속적으로 **안 팔리는** 책 표지 디자인

지속적으로 **팔리는** 책 표지 디자인

특허청 등록

최보규 강사책출간 코칭전문가

등록 번호: 제 40-2200794 호

팔리는 책은
표지 디자인이 다르다 1

안 팔리는 책 표지 디자인

잘 팔리는 책 표지 디자인

방탄자기계발사관학교
최보규 참모총장

특허청 등록
최보규 자기계발코칭 창시자
등록 번호: 제 40-2072344 호

특허청 등록
최보규 리더동기부여 코칭전문가
등록 번호: 제 40-2128786 호

특허청 등록
최보규 강사책출간 코칭전문가
등록 번호: 제 40-2200794 호

지금처럼이 아닌 지금부터 살게 해주겠습니다.
때를 기다리는 사람이 아닌 때를 만들어가는
사람으로 변화시켜 주겠습니다.
세상에는 최보규 코칭전문가 보다
코칭을 잘 하는 사람 많습니다.
하지만 세상에서 최보규 코칭전문가 만큼
함께 하는 사람을
자립할 수 있을 때까지 케어해주는 사람은 없을 것입니다!

최보규 방탄자기계발사관학교 참모총장

Google 자기계발아마존   ▶YouTube 방탄자기계발   NAVER 방탄자기계발사관학교   NAVER 최보규

숏폼 시대!
한마디로 지금 시대 사람들의
평균 시각적인 수준이 높다.

6:52/21:00

책 표지 디자인이 호기심을 유발, 궁금증 유
발 "이런 디자인은 처음 보는데 너무 신선하
다. 럭셔리하다."라는 마음이 들어서 보고 싶
도록 디자인을 제작해야만 선택받을 확률이
높아진다.

6:52/21:00

당신이라면
어떤 책 표지 디자인을 선택 할 것인가?

목차

◆ 팔리는 책은 표지 디자인이 다르다 머리말 005

◆ 팔리는 책은 표지 디자인이 다르다 목차 012

《팔리는 책은 표지 디자인이 다르다 1》

◆ 1장. 시대에 맞는 책 표지 디자인 014

▶ 4차 산업 시대, 챗 GPT 시대, 숏츠 시대에 맞는 종이책, 전자책 표지 디자인 015

1) 앞으로 3가지 스펙이 없으면 전문가가 될 수 없다? 016

2) 지금 시대 사람들 집중력이 금붕어 보다 못하다? 017

▶ 표지 만드는 기술력 026

3) 표지 앞면 디자인 샘플 031

4) 표지 앞면 디자인 설명 078

- 1)《300만원 동기부여 강의》책 표지 디자인 설명 079

- 2)《PPT로 책 출간》책 표지 디자인 설명 096

- 3)《리더십 PT 1》책 표지 디자인 설명 104

- 4)《나다운 방탄습관블록》책 표지 디자인 설명 114

- 5)《방탄 리더 동기부여 1》책 표지 디자인 설명
  122

5) 3D 입체 표지 디자인 샘플 128
6) 3D 입체 표지 디자인 만드는 방법 168
- 1) 3D 입체 표지 디자인 만드는 방법 169
- 2) PPT로 3D 입체 표지 다지인 만드는 방법 178

7) 날개 표지 만드는 사용 설명서 190
- 1) 날개 표지 디자인 샘플 191
- 2) 책 앞면 날개 표지 디자인 설명 198
- 3) 책 앞면 표지 디자인 설명 201
- 4) 책등 표지 디자인 설명 211
- 5) 책 뒷면 표지 디자인 설명 215
- 6) 책 뒷면 날개 표지 디자인 설명 219
- 7) 방탄book기술력 날개 표지 디자인 샘플 223

8) PPT에서 표지 날개 디자인 252

◆ 지속적인(100년) 수입 창출 PT, 교육, 코칭 시스템
  283

◆ 참고문헌, 출처 313

1장

시대에 맞는 책 표지 디자인

 지속적으로 안 팔리는 책 표지 디자인
지속적으로 팔리는 책 표지 디자인

1) 앞으로 3가지 스펙이 없으면 전문가가 될 수 없다?

앞으로 디지털 시대 더 활성화되면 되었지 덜 하지는 않는다. 자신 분야 영상 촬영 편집 기술력, 홍보디자인 제작 기술력, 온라인, 디지털 콘텐츠 제작 기술력은 스펙이며 필수 스펙이 되었다.

전문 분야가 있는데 영상 편집, 홍보 디자인을 못한다? 영상 콘텐츠 제작을 못한다? 전문가라고 말을 하면 안된다. 쪽팔리고 자존심 상해야 하며 위기의식을 가져야 한다.

자신 분야 삼성(진정성, 전문성, 신뢰성)을 높이기 위해서는 지금 트랜를 잘 봐야 한다. 유튜브, 페이스북, 인스타그램, 네이버 블로그, SNS, 자신 분야 홍보 디자인 제작, 재능마켓, 홍보 디자인, 광고 디자인, 영상, 화려한 디자인들, 화려한 사진들, 화려한 이미지들이 하루만에도 어마어마하게 쏟아지고 있다.

지금 대부분 사람들이 화려한 이미지에 노출이 많이 되어 있어서 이미지 없이 텍스트만 있는 것은 무시하고 쳐다보지도 않는 트랜드다. 쳐다보지도 않는다는 게 뭘지 아는가? 쓰레기 취급한다는 것이다.

이런 상황에서 언제까지 돈 주고 전문가에게 의뢰할 것인가? 제작 의뢰하는 것도 한계가 있는 것이다. 전문 분야가 있고 프리랜서라면 자신 분야 디자인 작업과 홍보 디자인 작업을 계속해야 한다.

다시 한 번 강조 한다! 디지털 시대를 살아남기 위한 필수 스펙은 자신 분야 영상 촬영 편집 기술력, 홍보디자인 제작 기술력, 온라인, 디지털 콘텐츠 제작 기술력은 스펙이며 필수 스펙이다.

지금 어떤 시대에 살고 있는가? 스마트폰으로 인해서 하루만 해도 영상, 이미지, 글... 눈이 아플 정도로 화려한 것을 수 만개는 본다. 한마디로 지금 시대 사람들의 평균 시각적인 수준이 높다는 것이다.

이런 상황에서 디자인이 평범하거나 호기심을 유발, 궁금증 유발 "이런 디자인은 처음 보는데 너무 신선하다. 럭셔리하다."라는 마음이 들어서 보고 싶도록 디자인을 제작해야만 선택할 확률이 높아지는 것이다. 다음은 지금 현실 속 사람들의 집중력에 대한 내용이다.

겨우 8초, 금붕어보다 못한 인간의 집중력
소위 'MZ'라고 불리는 요즘 젊은 세대는 어렸을 때부터 늘 새로운 자극으로 가득한 디지털 환경에 노출된 채 자랐다. 그래서인지 한 가지 주제에 오랫동안 집중하기 상당히 어려운 뇌 구조를 지녔다고 한다. 뭔가에 집중할 수 있는 시간(Attention Span)에 관한 연구를 살펴보자. 아동이 주의해서 집중할 수 있는 시간은 얼마나 될까? '자신의 나이×1분' 정도라고 한다. 6세 어린이는 약 6분 정도 집중할 수 있다는 뜻이다. 이 시간은 개인에 따라 차이가 있고, 몰입하면 10~15분까지는 늘어날 수 있다. 너무 지루하지도 않고 그렇다고 아주 재미있지도 않은

평범한 수업을 하고 있다고 하자. 십 대 학생들은 보통 수업을 듣기 시작하면 약 10분 후부터 집중력이 떨어진다. 일반적으로 이들이 뭔가에 주의해서 집중할 수 있는 시간은 20분을 넘기기 어렵다. 따라서 수업 시작 후 10~20분이 지나면 신경전달물질이 고갈된 학생들은 이내 집중에 어려움을 느끼고 주의가 산만해진다. 그래서 유튜브 영상의 평균 길이는 15~20분이고, 테드(TED) 강연 길이는 18분이다. 집중력을 감안해 메시지를 확실히 전달하기 위한 시간이다. 드롭박스의 마케팅 신화를 쓴 실리콘밸리 최고의 마케터 션 앨리스(Sean Ellis)가 한 말을 약간 각색하여 들어보자.

"고객의 주의집중을 원하신다고요? 사업 규모의 확장을 위해서는 시장이 원하는 언어를 사용해야 합니다. 언어의 시장 적합성이 무엇보다 중요하죠. 잠재 고객의 마음을 움직일 수 있는 말을 상상해 보세요. 당신이 만든 제품을 고객이 마주할 때 어떻게 해야 가장 효율적으로 전달할 수 있을지 생각해 보셨나요? 고객이 좋아하지 않는 언어로 구애한다면 필패입니다. 제품 가치를 알아줄 상대방이 없는 곳에서 헛스윙을 하는 거라고 생각하면 됩니다." 여기서 왜 고객의 마음을 끌어당길 언어에 몰두해야 하는지 그 이유가 나온다. 스마트폰이 생기기 전 고객이 광고에 집중할 수 있는 시간은 12초였다. 이제는 8초로 뚝 떨어졌다. 9초인 금붕어보다 못하다.

주의집중 시간의 변화
12초 – 2000년 인간의 평균 주의집중 시간
8초 – 2015년 인간의 평균 주의집중 시간
9초 금붕어의 주의집중 시간

인간의 평균 주의집중 시간 인간의 평균 주의집중 시간 금붕어의 주의집중 시간 왜 이런 일이 발생했을까? 주변의 수많은 자극에 적응하다 보니 주의력이 줄어들었다는 것이 통설이다. 생각해 보라. 우리는 매일매일 넘치는 정보의 홍수 속에서 살아가고 있다. 수시로 오는 문자와 카카오톡 메시지, 귀찮아 들여다보지도 않는 이메일처럼 하루하루 우리의 신경을 산만하게 하는 요소가 차고 넘친다. 그 결과 집중해서 주의를 지속하는 시간이 줄어드는 것은 당연한 결과다. 게다가 여러 일을 한꺼번에 하는 멀티태스킹형 업무 방식에 길들여진 젊은 세 대에게 이런 현상은 더욱 심각하게 다가올 수밖에 없다.

뇌 신경세포를 뜻하는 뉴런과 마케팅의 합성어인 뉴로마케팅(Neuro Marketing)의 연구 결과를 보자. 브랜드의 색상이 소비자로 하여금 다양한 감정을 불러일으킨다고 한다. 소비자들이 상품을 구매하는 데 있어 시각적 효과가 약 95%를 차지한다고 하니, 디자인과 색감이 큐

레이터에게는 아주 중요하다. 색은 브랜드를 인식하는 강력한 수단으로, 그리고 소비자의 신뢰를 확보하는 무기로 작용한다. 빨간색 코카콜라와 초록색 스타벅스 로고가 소비자의 지갑을 열게 하는 강력한 마케팅 도구로 활용되고 있다는 것은 마케팅 세계에서는 익히 아는 이야기다.

《감정 경제학》

금붕어의 집중력이 9초인데 지금 시대 사람들의 집중력이 8초라는 말이 씁쓸하기만 하다. 지금시대 사람들의 심리를 알려주는 내용이었다.

어떤 분야든 지금 시대 사람들의 상태, 심리를 알아야만 공격적으로 영업, 마케팅을 할 수 있고 자신 분야 제품을 알릴 수 있는 것이다.

시각적인 효과가 95%를 차지한다는 것은 어마어마한 것이다. 그래서 홍보마케팅 디자인이 중요하다고 말을 하는 것이다. 지금 시대의 사람들에게 집중력 8초를 머물게 하지 못하면 끝이다.

스마트폰을 누군가는 시간 때우는 도구로 사용하고 누군가는 자신 분야와 연결하여 전문성을 높여 수입을 발생시키는데 활용한다.

자신 책, 자신 분야를 몇 백만 원 씩 들여서 홍보 할 수도 있다. 하지만 100년(평생) 해야 하는데 한번 하는 데 몇 백만 원씩 들어가는 비용을 감당할 수 있겠는가? 노오력 홍보마케팅이 아니라 최소의 비용으로 최대의 효과를 내기 위한 전략적인 올바른 홍보마케팅이 중요한 것이다. 스마트폰에 있는 홍보마케팅 도구들을 어떻게 활용할 것인가가 중요하는 것이다.

스마트폰이라는 도구가 있다면 홍보할 수 있는 재료가 있어야 한다. 재료는 자신 책을 홍보하기 위한 책 홍보 디자인 한 홍보이미지다. 전문가에게 의뢰를 하면 이미지 사진 하나를 만드는 데도 몇 십만 원씩 들어간다. 유튜브 홍보 영상 제작은 최소 200만 원 ~ 500만 원이 들어간다.

앞에서도 언급했듯이 필자 디자인 실력이 마우(마우스만 움직일 줄 아는 우주 초보)라고 했다. 지금도 PPT 만드는 수준, 디자인 실력이 마우다.

종이책 200권, 전자책 300권 총 500권 출간하면서 책 홍보마케팅을 위해 디자인한 것을 모두 다 마우 실력으로 디자인 한 것이다. 믿겨지지가 않을 것이다. 어떤 도구를 활용하느냐에 따라 마우를 전문 디자이너로 만들 수 있다. 그 기적의 시작이 망고보드다. 마우 실력만 있어도 망고보드에서 필자처럼 할 수 있다.

망고보드에서 총 500권 출간한 디자인 모든 것들을 작업했다. 망고보드에서 작업할 수 있는 디자인 종류는 사람 만드는 것 빼고 다 된다고 보면 된다. 오해하지 말았으면 한다. 필자가 망고보드 직원은 아니다. 홍보대사도 아니다.

망고보드에서 디자인 가능한 것들은 다음과 같다.

스티커 디자인, 리플렛, 전단지, 포스터, 명함, 배너, 어깨띠, 현수막, 봉투, 카탈로그, 종이컵, 프레젠테이션, A0~A5, B0~B5, 카드뉴스, 인스타그램, 페이스북, 네이버 스마트스토어, 네이버 블로그, 네이버 TV, 유튜브, 트위터, 틱톡, 로고 프로필, 북커버, 메뉴판, 구글배너, 카카오모먼트, 인포그래픽.

망고보드 장점은 기존에 만들어져 있는 디자인들 샘플을 활용해서 디자인하면 된다는 것이다. 이미 만들어져 있는 디자인을 자신 취향에 맞게 수정만 하면 된다는 것이다. 그래서 당신에게 망고보드는 천재일우인 것이다.

필자가 망고보드를 활용해서 종이책 200권, 전자책 300권 총 500권 출간하면서 어떻게 디자인을 했는지 참고하길 바란다.

방탄book기술력!

커피숍에서 지인과 대화 중에도 돈이 입금되는 시스템?

자고 있는데 돈을 버는 시스템?

여행 중에도 돈이 입금되는 시스템?

사무실, 직원이 필요 없는 시스템?

건물주처럼 월세가 입금되는 시스템?

집에서 댕댕이와 휴식하고 있는데 돈이 입금되는 시스템?

방탄book기술력은
책만 쓰고 출간, 수입 창출만 하는
기술력이 아니다.
"당신은 제가 좋은 사람이 되고
싶도록 만들어요." 말을 들을 수 있는
인재를 양성하는 기술력이다!

| Google 자기계발아마존 | ▶ YouTube 방탄자기계발 | NAVER 방탄book기술력 | NAVER 최보규 |

종이책, 전자책 표지 디자인

지금 시대(숏츠,유튜브, SNS...) 집중도가 전문가들에 의하면 금붕어보다 못하다고 한다.(금붕어 9초, 사람 8초) 한마디로 8초 안에 선택받지 못하면 끝난다는 것이다. 사람의 심리에서 시각적인 효과가 95%를 차지한다. 하루가 멀다하고 수 천개의 이미지, 영상, 화려한 것에 노출 되어 이미지가 화려하지 않으면 쳐다 보지도 않는다. 책 내용도 중요하지만 책 표지도 내용 만큼 중요하다. 안 팔리는 책 표지 디지인이 있고 팔리는 책 표지 디자인이 있다.

종이책, 전자책 표지 디자인

마우(마우스만 움직일 줄 아는 우주초보)인 사람이 책과 연관된(종이책 표지, 종이책 3D 표지, 종이책날개 표지, 전자책 표지, 책에 들어갈 이미지 디자인, 책 출간 후 유튜브 홍보 영상 디자인, SNS 프로필 디자인... 등) 디자인을 할 수 있는 기술력을 배울 수 있다라면? 당신은 배울 것인가? 다음 생에 배울 것인가?

▶ 표지 만드는 기술력.

1권 쓰고 말 거라면 책 표지를 돈을 주고 만들면 된다. 하지만 책을 꾸준히 출간할 거라면 표지 디자인하는 기술력을 배워 시간, 돈을 아껴야 한다. 책 표지를 언제까지 돈 주고 만들 것인가? 책 표지 만드는 기술력을 배우면 100년 수입 창출을 할 수 있다. 종이책 표지 디자인을 제작하면 전자책(PDF)은 자연스럽게 만들 수 있게 된다. 한마디로 종이책 1권을 출간하면 온라인에 1층을 가지고 있는 건물주가 되는 것이다. 필자는 종이책 200권, 전자책 300권 총 500권 출간했다. 한마디로 500층의 온라인 건물주라는 것이다. 월세, 연금성 수입이 얼마 정도 발생할 거 같은가? 앞에서도 언급을 했던 내용을 참고하자.

2024년 대한민국 현실은 5명 중 1명이 사기꾼이고 3혹[유혹, 현혹, 화혹(화려함에 혹하다)]에 빠져 3명 중 1명중 한명이 사기 당한다. 대검찰청에 따르면 연간 136만 건 범죄 중 가장 많이 발생하는 범죄가 1위는 사기다. 수입 인증, 통장 인증하는 사람들 90%는 "믿음을 줘야 크게 한탕을 칠 수 있다."라는 심리가 있다. 수입 인증, 통장 인증하는 사람들이 다 사기꾼은 아니다. 하지만 단언컨대 사기꾼들은 수입 인증, 통장 인증을 한다는 것을 명심하자!

이번 생에 힘든 갓물주 위에 건물주는 힘들어도 온라인 건물주는 가능하다는 것이다. **최보규 방탄book 코칭 전문가**의 PPT 디자인 수준인 마우(마우스만 움직일 줄 아는 우주 초보)에서 200권 표지를 만들 수 있었던 스토리텔링 시작한다. 지금부터 상상을 초월하는 기술력을 오픈하기에 스마트폰 무음으로 해놓고 보길 바란다.

한 분야 전문가라면 이제는 자신 분야를 홍보하기 위한 디자인 스펙은 기본으로 해야 한다. PPT를 할 줄 아는 사람이라면 필수이다. 필자의 본업은 강사다. 15년 전 강사 직업을 시작으로 7G 직업(출판사 대표, 작가, 심리상담사, 코칭 전문가, 강사, 유튜버, 한집의 가장)을 하고 있다.

강사 1년 차 PPT 디자인 수준이 상 → 중 → 하 → 마우(마우스만 움직일 줄 아는 우주 초보)에서 마우였다. 그런데 15년 전 PPT 디자인 수준이 마우였던 필자가 15년이 지난 지금도 PPT디자인 수준이 마우인 사람이 책과 연관된(종이책 표지, 종이책 3D 표지, 종이책날개 표지, 전자책 표지, 책에 들어갈 이미지 디자인, 책 출간 후 유튜브 홍보 영상 디자인, SNS 프로필 디자인... 등) 디자인 수준을 어떻게 끌어 올렸는지 200권 표지 디자인한 것을 보고 냉정하게 판단해보길 바란다. 디자인을 보면 디자인 실력, 내공, 가치가 나온다.

#. 200권 표지 디자인 중에 1%만 공개하고 종이책 표지, 날개 표지 작업 노하우, PPT에서 책 표지, 날개 표지 만드는 노하우까지 공개한다. PPT 디자인 수준이 마우(마우스만 움직일 줄 아는 우주 초보)인 사람도 가능하다는 것을 필자가 증명해 보이겠다.

종이책 표지 디자인

종이책 표지 디자인

나다운 강사 1

강사 내비게이션

최보규 지음

대한민국 최초 '강의, 강사 전문서적'

나다운 사관학교 참모총장의 강사 내비게이션

명강사, 스타 강사, 1억 연봉 프로 강사는 잊어라!
나의 꿈은 '나다운 강사'다!

좋은땅

NAVER   나다운강사1   NAVER   최보규

종이책 표지 디자인

▶YouTube 방탄자기계발

나다운 방탄리더십 **1**

세계 인구 79억 명! 79억 개의 나다운 방탄리더십!
1명의 방탄리더가 10만 명을 먹여 살린다!

[리더십코칭전문가 6단계 시스템]

★★★★★
CEO
필독 도서

세계 최초
방탄리더십

방탄리더
자존감

방탄리더
멘탈

방탄리더
습관

방탄리더
코칭

방탄리더
자기계발

방탄리더
행복

최보규 방탄리더십 창시자　　BOOKK✎

NAVER 나다운방탄리더십　　NAVER 최보규

종이책 표지 디자인

방탄자기계발사관학교 I

시대에 맞춰 변화, 성장하는 4차 인재 양성 시스템!
"세계 최초" 자기계발 150년 케어 시스템!

방탄자존감사관학교

방탄행복사관학교　　방탄멘탈사관학교　　방탄습관사관학교　　방탄강사사관학교

방탄웃음사관학교　　방탄사랑사관학교　　방탄책쓰기사관학교　　방탄유튜버사관학교

최보규 참모총장　　　　　　BOOKK✎

57

종이책 표지 디자인

Google 자기계발아마존

▶ YouTube 방탄자기계발

리더의 방탄 소통 1

방탄 소통! 방탄 공감! CLASS 7

소통에 답이 있는가? 정답은 답이 아니다.
해결책도 답이 아니다. 공감만이 답이다.

리더
필독 도서

"최초"
방탄 리더 소통
사용 설명서

"최초"
방탄 리더 소통
지침서

최보규 방탄리더소통 전문가

BOOKK✎

NAVER 리더의방탄소통

NAVER 최보규

58

종이책 표지 디자인

✔ 방탄book기술력을 무조건 배워야 되는 이유! 25가지

1. 스펙, 인맥, 돈, 외모... 현실 기준에 미치지 못하는 사람에게도 잘될 수 있는 기회를 준다.
2. 자신 분야 제2수입, 제3수입을 만들어 준다.
3. 현실 은퇴 나이 49세! 앞으로의 걱정, 고민, 은퇴, 노후를 해결해 준다.
4. 자신 분야 비수기 없는 시스템을 만들어 준다.
5. 한 분야 전문성으로는 힘든 시대! 일할 때 외에는 쓸모없는 경력, 스펙을 수입 창출할 수 있게 연결시켜 준다.
6. 커피숍에서 지인과 대화 중에도 돈이 입금되는 시스템을 만들어 준다.
7. 자고 있는데 돈이 입금되는 시스템을 만들어 준다.
8. 여행 중에도 돈이 입금되는 시스템을 만들어 준다.
9. (무인 시스템) 사무실, 직원이 필요 없는 시스템을 만들어 준다.
10. (온라인 건물주) 건물주처럼 월세가 입금되는 시스템을 만들어 준다.
11. 집에서 댕댕이와 휴식하고 있는데 돈이 입금되는 시스템을 만들어 준다.
12. 주위 사람 말에 흔들리지 않게 해 준다.
13. 자신의 가능성, 자신감을 향상시켜 준다.
14. 스트레스(멘탈) 관리를 잘할 수 있게 해 준다.
15. 자자자자멘습긍 학습, 연습, 훈련하는 방법과 자신을 진짜 사랑하는 방법을 알게 해 준다. (자존감, 자신감, 자기관리, 자기계발, 멘탈, 습관, 긍정)
16. 외로움, 우울함 관리를 더 잘할 수 있게 해 준다.
17. 나 너가 아닌 "우리, 함께"라는 마음을 알게 해 준다.
18. 자신도 "필요한 존재, 도움이 되는 사람이구나." 느끼게 해 준다.
19. 부정적인 비교보다는 긍정적인 비교를 더 하게 해 준다.
20. 가진 것이 부족해서 생기는 불만보다는 감사를 더하게 해 준다.
21. 자격 지심, 콤플렉스, 트라우마, 상처를 관리할 수 있게 해 준다.
22. 삶의 의욕을 넘치게 해 준다.
23. 자신의 가치를 찾게 해 준다.
24. 불행, 고난, 역경 힘든 시기가 왔을 때 지혜롭게 이겨낼 수 있게 해 준다.
25. 인생의 목표를 만들어 주고 인생의 방향을 잡아주며 인생을 어떻게 살아가야 하는지 알게 해 준다.

| Google 자기계발아마존 | ▶YouTube 방탄자기계발 | NAVER 방탄ook기술력 | NAVER 최보규 |

200권 출간 한 책 중에 종이책 앞면 표지 디자인 한 것을 보면서 어떤 생각이 들었는가?

20,000명 심리 상담, 코칭 하면서 쌓인 내공과 종이책 200권, 전자책 300권 총 500권 출간했던 내공으로 당신이 지금 어떤 생각이 들었고 어떤 궁금증이 생기는지 맞혀 보겠다.

"PPT 디자인 수준이 상 → 중 → 하 → 마우(마우스만 움직일 줄 아는 우주 초보)에서 마우라고 했는데... 어떻게 표지 만든 실력이 디자인 전문가 그 이상으로 할 수 있을까? 디자인 전공을 했던 전문가의 수준인데? 마우라는 말 거짓말 아닐까? 진짜 마우 실력으로 저 정도 표지를 만들 수 있는 기술력을 배울 수 있다면 무조건 교육, 코칭 받고 싶다."

어떤가? 속마음이 들켰는가? 필자가 신의 능력이 있는 것은 아니다. 그만큼 내공, 통찰력이 있다는 것이다.

이 책을 보고 있는 사람들 대부분은 일반 사람이 아닐 것이다. PPT와 연관된 사람이거나, 책 쓰기, 책 출간에 관심이 많은 사람이거나, 자신 분야 전문성을 살려 제2수입, 제3수입을 올리고 싶어서 보는 사람들일 것이다.

그래서 자신 있게 이런 말을 하고 싶다. "이 책을 보고 있는 당신은 천재일우(천 년에 한 번 만난다는 뜻으로 좀처럼 만나기 어려운 기회)은 것이니 모든 것을 흡수해라."

책 표지, 책날개 표지 디자인 만들 수 있는 도구들이 많다. 그중에서 무료로 많이 쓰는 것이 미리캔버스, 캔바(Canva)이다. 미리캔버스, 캔바(Canva) 사용 설명서는 네이버에서 검색하면 어마어마하게 많고 마우(마우스만 움직일 줄 아는 우주 초보)도 할 수 있는 수준이다.

필자가 쓰고 있는 프로그램은 망고보드다. 망고보드 프로그램에 들어가서 보면 알겠지만 마우(마우스만 움직일 줄 아는 우주 초보)도 충분히 가능한 프로그램이라는 것이다. 종이책 200권, 전자책 300권 총 500권 책 출간하면서 연관된 모든 디자인들 99%가 망고보드에서 작업을 했다는 것이다.

지금도 필자의 PPT 디자인 수준이 마우(마우스만 움직일 줄 아는 우주 초보)인데도 디자인 전문가 못지않게 책 표지를 디자인 할 수 있었던 것이 쉽게 사용 할 수 있는 망고보드 프로그램이라는 것이다. 다만 무료 버전이 아닌 유료 버전을 사용해야 한다.

무료가 전부 가치가 없는 건 아니지만 극소수 빼고는 무료는 무료만큼의 가치밖에 하지 않는다. 디자인을 할 때 무료 버전을 사용할 수도 있지만 될 수 있으면 사용하면 안 되는 이유가 이미지, 폰트 저작권 문제로 저작권법에 걸려 문제가 생길 수 있기 때문에 망고보드 유료 버전을 사용하는 것이다.

"책 앞면 표지가 책의 전부는 아니지만 때론 책 앞면 표지가 책의 전부가 될 수 있다." 시각적인 것이 그만큼 중요하다는 것이다. 제목이 특별해서 선택하지 않는 한 90%는 책을 선택하고 안 하고는 책 앞면 표지 디자인으로 판단한다고 봐도 무방하다. 그래서 책 앞표지 디자인에 신경을 많이 써야 한다. 다음으로 나오는 책 표지 디자인을 보고 당신은 몇 번을 선택할 것인가?

독자들이 책을 선택할 때 여러 가지를 볼 것이다. 표지, 제목, 목차, 작가, 책 소개 글... 등 이 중에서도 가장 중요한 첫인상을 좌우하는 것은 표지라는 것이다.

표지가 끌려야 제목, 목차, 작가, 책 소개 글... 등 을 본다는 것이다.

♥ 책 표지 디자인을 제대로 하느냐 안 하느냐 차이 비유 설명.

1. 영화로 비유를 하면 2D 영화냐, 4D 영화냐 차이다.

2. 사랑으로 비유를 하면 한 번 만나고 믿음, 신뢰, 사랑 비전 제시 없이 프러포즈하느냐, 1년(4계절을 겪으면서 감정 변화를 적응하는 시기)을 함께 하면서 믿음, 신뢰, 사랑 비전을 주고 프러포즈하느냐 차이다.

3. 결혼으로 비유를 하면 결혼식 하루(30분)를 위해서 신혼집, 스드메에만 집착을 하느냐, 결혼 생활 100년을 위해서 부부행복(남편 13계명, 아내 13계명)학습, 연습, 훈련에 집중하느냐 차이다.

4. 독자들이 이해하는 속도로 비유를 하면 2G 속도, 5G 속도 차이다.

5. 자동차로 비유를 하면 깡통 자동차, 풀 옵션 자동차 차이다.

6. 여자 화장으로 비유를 하면 노 메이크업, 풀 메이크업 차이다.

7. 요리로 비유를 하면 요리 재료인 당근, 양배추, 양파, 대파... 등을 통째로 넣느냐, 먹기 좋게 갈질해서 넣느냐? 차이다.

그만큼 책 표지는 책의 전부가 된다는 것을 명심하자!

지금부터는 출판계 혁신인 6가지 수입 창출을 지속적 (100년)으로 할 수 있는 방탄book기술력을 교육, 코칭 할 때 망고보드를 활용해서 표지 만드는 방법을 오픈한 다.

#. 출간한 책 종이책 200권, 전자책 300권 총 500권 출간 중 5권의 책 표지 디자인 설명을 하겠다.

디자인 마다 디자인 목표, 방향이 다르고 간격이 조금씩 다를 것이다. 똑같이 따라 할 수는 없지만 디자인 콘셉트, 방향을 파악하면 된다.

책 디자인 설명 5가지를 보면 "이런 콘셉트, 흐름으로 책 표지 디자인을 하는구나. 책 표지에서 어떤 의미를 보여 줘야 하는지 감이 온다. 책 표지에서 주인공을 어 떻게 부각시켜야 되는지 알겠다."라는 느낌과 자신감이 생길 것이다.

평균 희망 은퇴 73세, 현실 은퇴 나이 49세!
100세 시대 언제까지 몸(노동)으로만
일해서 돈을 벌 것인가?

세상, 현실 기준에서 스펙, 돈, 인맥, 자산 등이 없어서 100세까지 노동을 해야 되고 몸까지 아프면 더 답이 없는 상황! 젊을 때는 100가지 중 99가지를 할 수 있지만 나이 들면 100가지 중 99가지를 할 수 없다. 3고 시대, AI 시대, 챗 GPT 시대에 자신의 직업이 사라 질 수 있는 상황에서 어떻게 준비, 대비할 것인가?

 방탄BOOK기술력
선택이 아닌 필수!

Google 자기계발아마존 ▶YouTube 방탄자기계발 NAVER 방탄ook기술력 NAVER 최보규

#. 책 앞면 표지 너비 1540PX * 높이 2160PX

(부크크출판사 A5 규격 148+6(제단 선) * 210+6(제단 선)= 너비 154mm * 높이 216mm)

#. 효율적인 표지 날개, 표지 작업과 전자책(PDF) 표지 작업을 위해 너비, 높이를 픽셀(PX)로 작업했다. 픽셀이 아닌 mm로 작업해도 된다.

#. Pixrl(픽셀): 유튜브 썸네일, 상세페이지, 커뮤니티 게시판 등.

#. mm또는 cm: 명함, 라벨, 액자, 머그컵, 현수막 등.

①번, ②번: 핵심 디자인을 가운데 배치했을 때 좌, 우 여택을 주어 안정적인 시각적 효과를 주기 위한 기본 좌, 우 100PX이다. (디자이너마다 다르니 참고)

③번: 위에서부터 200PX (책의 가장 위쪽과 시작하는 디자인과의 안정적인 시각적 효과를 주기 위한 여유 공간)

④번: 위에서부터 120PX (책의 가장 밑쪽과 저자, 출판사 로고와의 안정적인 시각적 효과를 주기 위한 여유 공간)

⑤번: 위에서부터 520PX (책 제목과 제목의 디자인을 안정적인 시각적 효과를 주기 위한 위치)

⑥번: 밑에서부터 440PX (책의 가치를 어필하기 하고 디자인을 안정적인 시각적 효과를 주기 위한 위치)

⑦번: 밑에서부터 215PX (책의 가치를 어필하기 하고 디자인을 안정적인 시각적 효과를 주기 위한 위치)

⑧번: 핵심 존. 책 표지 디자인에서 주인공이라고 느낄 수 있게 디자인을 해줘야 하는 곳이다. 《300만원 동기부여 강의》 책 제목에서 가장 중요한 콘셉트 디자인이 무엇일 거 같은가? '300만 원? 동기부여? 강의?' 이 3가지를 다 어필할 수 있는 디자인이면 좋다. 그 중에서도 핵심 디자인 콘셉트는 강의다. 강의 콘셉트를 상징하고 어필할 수 있는 빔 프로젝터와 스크린을 활용하여 책을 볼 수 있는 궁금증 유발, 호기심 유발을 할 수 있는 핵심 디자인과 핵심 문구를 만들어야 한다. "기존에 알고 있는 동기부여 책과 차원이 다를 거 같다. 무조건 책 읽어 봐야겠다."라는 느낌이 들 수 있는 핵심 디자인을 해야 한다.

《300만원 동기부여 강의》이 책에 모든 것이 압축되어 알 수 있는 곳이고 주인공이기에 가장 신경을 써야 한다.

#. 화장으로 비유를 하면 외출할 때 하는 가벼운 화장 기법이 아닌 웨딩 촬영할 때 화장하는 풀메이크업을 해야 된다.

⑨번: 책의 가치, 내공, 값어치를 어필하기 위한 디자인이다. 《300만원 동기부여 강의》 책의 가치, 내공, 값어치가 간접적으로 어필이 되어야 한다. 직접적으로 어필은 책 소개에서 하면 된다.

#. 책의 가치, 내공, 값어치를 어필하는 다른 예시를 참고하자.

동기부여 사용설명서, 직장인 필독 도서, 리더 필독 도서, 동기부여 지침서, 자기계발 지침서, 동기부여 바이블... 등

⑩번: 저자 이름. 저자 이름 보다 저자가 어떤 전문가인지를 알리는 명칭을 쓰면 더 효과적이다.

⑪번: 출판사 로고. 부크크 홈페이지에서 '자주 묻는 질문' 으로 들어가면 도서를 클릭하면 로고 파일 다운로드가 있다.

⑫번: 책 제목. ⑧번 핵심 존 디자인 좌우 사이즈를 경계로 제목을 디자인한다. 핵심 존 디자인 다음으로 잘 보여야 할 것이 제목 디자인이다. 제목이 주인공일 기 같지만 표지 전체적인 디자인에서 핵심 디자인 어필이 되어야만 제목이 가지고 있는 뜻의 의미가 극대화 된다. (핵심 존 좌우 간격 260PX, 디자인마다 가격이 다를 수 있다.)

한번 생각해 보자. 제목이 화려한데 핵심 디자인이 제목을 받쳐주지 못하면 책 제목의 화려함은 장점이 아닌 단점이 되어 버린다. 지금 시대 평균적인 사람들의 시각적인 심리를 잘 읽어야 한다. 하루가 멀다 하고 대중매체, 유튜브, 인스타그램, SNS 등으로 인해서 어마어마하게 화려한 영상, 이미지를 보고 있다. 수준이 높아진 시각적인 심리 상황에서 일단 디자인이 화려하지 않으면 어필이 되지 않는다는 것이다. 다음으로 나오는 《300만원 동기부여 강의》책 표지의 화려하지 않는 책 표지 버전과 화려한 책 표지 버전 비교한 것을 보면 좀 더 이해가 될 것이다.

300만원
동기부여 강의

최보규 동기부여 일타강사

BOOKK✎

종이책 표지 디자인 설명

⑬번: 배경 이미지. 《300만원 동기부여 강의》 책은 강사가 강의하는 콘셉트이기에 강단을 화려하면서도 은은한 무대 사진으로 디자인했다. 배경 이미지가 화려해버리면 주인공이 죽는다. 배경 이미지는 제목 다음으로 조연배우다.

⑭번: 바탕색. 배경 이미지와 어울릴 수 있는 검정색으로 했다.

종이책 표지 디자인 설명인 ①번 ~ ⑭번까지 설명 내용을 보니 어떤 생각이 드는가?

20,000명 심리 상담, 코칭 하면서 쌓인 내공과 종이책 200권, 전자책 300권 총 500권 출간했던 내공으로 당신이 지금 어떤 생각이 들었고 어떤 궁금증이 생기는지 알아맞혀 보겠다.

"시중에 있는 책 쓰기 교육, 책 출간 코칭을 수십 번 듣고 시중에 있는 책 쓰기 책, 책 출간 책 수십 권을 봤는데... 그 누구 하나 설명하지 않고 설명 못하는 디테일한 책 표지 설명 내용을 보니 대단하다는 생각도 들고 존경하는 마음이 든다. 초보자 눈높이에서 세심하게 설명하는 마음에 책 표지 만드는 초보자라면 감동을 받을 수 있을 거 같다. 표지 디자인 마우(마우스만 움직일 줄 아는 우주 초보) 실력으로 이렇게 디테일하게 설명을 할수 있다니 진짜 대단하다. 역시 종이책 200권, 전자책 300권 총 500권 출간한 내공 장난이 아니다. 이렇게 디테일하게 설명을 해줘도 디자인이라는 것을 처음 접하는 사람들은 힘들 거 같은데... ①번 ~ ⑭번 너무 할게 많은 거 아닌가? 뭐든 쉬운 게 없네... 좀 더 쉽게 하는 방법 없을까?"

사람마다 느끼는 것이 다를 수 있다. 하지만 20,000명 심리 상담, 코칭과 200권 출간 경력에서 나오는 평균치 데이터는 무시는 할 수 없을 것이다.

필자가 출판계 혁신인 방탄book기술력(6가지 수입 창출 시스템)100년 활용 할 수 있는 기술력)교육, 코칭에서 늘 하는 말이 있다. "아무리 쉬운 것도 해보지 않으면 우주에서 가장 어려운 것이고 알고 나면 우주에서 가장 쉬운 것이 됩니다."

필자가 2,000권 책을 보았다. 그 중에서 시중에 있는 책 쓰기, 책 출간 책을 30권 정도 봤고 책을 책 쓰기 교육, 강의 책 출간 교육, 강의를 몇 십 개를 보았다. 그 교육, 과정을 욕하는 것이 아니다. 오해하지 말고 들었으면 한다. 필자 기준에서 말을 하는 것이니 참고하길 바란다.

필자가 책 쓰기, 책 출간 교육, 강의를 듣고 봤던 내용들이 너무 어려웠다. 책 쓰기만, 책 출간만 하면 끝나는 방법들이 대부분이었고 힘들게 출간한 책이 3개월 후에라면 냄비 받침대가 되어 쓰레기 취급 당하는 상황들을 보면서 결심, 다짐의 결과가 지금 이 책을 쓰고 있는 것이다.

감히 말하건대 대한민국, 세계에서 책 쓰기, 책 출간을 이렇게까지 디테일하게 알려주는 사람은 없고 책도 없다. 계속 언급하지만 지금 이 책을 보고 있는 당신은 인생에 천재일우(천 년에 한 번 만난다는 뜻으로 좀처럼 만나기 어려운 기회) 온 것이니 조상에서 감사하고 "내가 인생을 지금까지 잘 살아서 이런 기회가 오는구나!"라는 마음으로 제대로 배우길 바란다.

다른 책 쓰기, 책 출간 책들은 독학할 수 없는 내용들이다. 왜 어려운지 아는가? 독학할 수 있는 디테일한 설명이 없는 것도 있지만 가장 중요한 것은 책 쓰기, 책 출간을 독학했더라도 초보자 눈높이에 맞춰서 설명을 못한다는 것이다. 처음 배울 때 어렵고 힘든 점을 극복하고 능숙하게 할 수 있는 수준까지 올라가면 초심을 까먹는다는 것이다. 한마디로 망각을 한다. 그래서 초보자 눈높이에서 책 쓰기, 책 출간 교육, 강의가 아닌 "이 정도는 알겠지"라는 태도로 올챙이 시절 기억을 못하는 교육자, 코칭 전문가들이 대부분이다. 스포츠계 격언 중에 '스타플레이어 출신은 명감독이 될 수 없다'라는 말이 있다. 상대방 눈높이가 아닌 자신이 했던 방법으로 고집부리고 알려주면서 "이런 것도 못하나?"라는 태도로 알려주기 때문이다.

다음 내용은 자신 생각을 바꾸기 위해서, 상대방 생각을 바꾸기 위해서 교육, 코칭 할 때 무엇을 먼저 해야 되는지 깨닫게 해주는 스토리텔링이다.

- 자신 생각을 바꾸는 데는 책 1톤이 필요하고 상대방 생각을 바꾸는 데는 책 2톤이 필요하다!
다음은 리더가 상대방을 변화시키기 위해 가장 먼저 해야 할 것이 무엇인지 깨닫게 해주는 스토리텔링이다.

스포츠계 격언 중에 '스타플레이어 출신은 명감독이 될 수 없다'라는 말이 있다. 선수 시절의 성과와 명성에 비해 감독으로서 기대에 못 미쳤던 사례가 많았던 것을 두고 하는 말이다. 물론 최근에는 스타플레이어 출신이면서도 선수 시절 못지않은 성과와 명성을 나타내는 감독들의 사례가 점차 늘어나는 추세지만, 여전히 많은 사람들에게는 '스타플레이어 출신은 감독으로 성공하기 어렵다'라는 인식이 자리 잡고 있는 것도 사실이다. "아니 이 플레이가 왜 안 되지?" 많은 이들은 스타플레이어 출신의 지도자가 성공하기 힘든 이유를 '자신의 성공 경험을 근거로 선수들의 플레이를 바라보고 그 결과를 이해할 수 없기' 때문이라고 한다. 즉, 선수들을 공감하지 못한다는 것이다. 그러나 필자는 스타플레이어 출신의 감독들이 성공하지 못하는 이유가 '공감 능력의 결여'보다 '감독 역할에 대한 명확한 인식과 충분한 준비 없이' 리더로 선임되었기 때문이라고 생각한다. 선수 시절에는 자신에게 주어진 역할만 수행하면 되었지만, 감독은 선수 개개인과 팀 전체를 모두 바라보고 그들이 성공을 거둘 수 있도록 노력해야 하는 완전히 다른 성격의 역할이기 때문이다. 그럼에도 불구하고 여전히 스포츠 현장에서는 스타플레이어 출신의 성공을 막연하게 기대하면서 쉽게 감독 역할을 맡기는 경우도 빈번하게 일어나고 있다. 그래서 스포츠계 일각에서는 이러한 시행착오를 줄이기 위해 스타플레이어 출신의 지도자를 바로 감독의 포지션에 올려놓기보다 다양한 현장 경험을 쌓게 한 후 감독으로 선임하는 움직임도 나타나고 있다.

많은 기업과 조직에서도 리더를 선임할 때, 후보자의 과거 성공 경험만을 근거로 역할을 부여하는 사례들을 쉽게 볼 수 있다. 물론 과거의 성공 경험은 리더로 성장하는 과정에서 중요한 역할을 해줄 것이다. 하지만 실무자와 리더는 완전히 다른 차원의 영역이다. 성공한 실무자가 리더로서도 성공할 것이라고 막연하게 기대하는 것은 마치 '잭팟이 터지길 기대하며 나의 전 재산을 베팅하는 위험한 도박'과도 같다. 리더 후보자가 다양한 학습과 경험을 통해 실무자로서 성공했듯이, 성공하는 리더로 성장하기 위해서도 충분한 학습과 경험이 필요하다. 리더가 갖춰야 할 폭넓은 시각과 리더십은 하루아침에 생겨나지 않는다. 우리 조직에 역량 있는 리더들이 많아지길 원한다면 '누구에게 리더를 맡길까?'라고 고민하기 이전에 '성공하는 리더가 되게 하려면 어떤 학습과 경험을 제공할 것인가?'에 대해 진지하게 고민하고 실천하는 것이 무엇보다 우선되는 과제라고 생각한다.

<브론치 라운드에 지혜, 구선생>

2002년 한일 월드컵이 끝나고 이영표 선수의 인터뷰 중 한 장면이다. "우리나라가 세계 4강이라는 놀라운 성적을 거두었습니다. 계속 좋은 성적을 유지하려면 어떤 선수가 필요할까요?" 아나운서의 질문을 받은 이영표 선수는 잠시 머뭇거리더니 이렇게 답했다. "우리나라에는 좋은 선수가 아니라 좋은 선수를 길러내는 코치가 더 필요합니다." 축구를 잘하는 것과 축구를 잘하도록 가르치는 것은 다르다는 말이다.

《강의력》

자신의 생각을 바꾸는 데는 책 1톤이 필요하고 리더 코 칭 전문가는 의뢰자, 가족, 아내, 남편, 자녀, 직원, 조직 체원...등 생각을 바꿔주기 위해서는 책 2톤의 내공이 있 어야 한다. 책 1권 평균 500g(평균 250페이지)이다. 1,000권이면 500kg, 2,000권이면 1톤이다. 책 1,000권 을 읽으면 자신의 가치관이 바뀌고 책 2,000권을 읽으 면 상대방을 바꿀 수 있다는 것이다. 그만큼 리더 코칭 전문가는 상대방을 바꿀 수 있는 내공이 있어야만 하는 것이다.

20,000명 심리 상담, 코칭 하면서 뼈저리게 느끼는 것 이 있다. 사람이 30년을 살면 바뀌지 않는 가치관이 생 기고 60년을 살면 신도 바꿀 수 없는 가치관이 형성된 다는 것을 알게 되었다. 하나 더 추가를 하면 한 분야 20년 이상 경력이 있는 사람은 100년의 경력을 갖고 있 는 경력자도 바꿀 수 없는 가치관이 생긴다.
그래서 리더 코칭 전문가는 자신 분야를 학습, 연습, 훈 련하는 것은 당연한 것이고 불특정 다수의 사람들, 상황 들 코칭을 하기 위해서는 평균적으로 사람들이 걱정, 고 민들을 학습, 연습, 훈련을 꾸준히 해야 한다.
《리더의 방탄 인간관계 7》

자신 생각을 바꾸기 위해서는 책 1톤(2,000권), 상대방 생각을 바꾸기 위해서는 책 2톤(4,000권)의 내공이 있어야만 가능하듯이 시중에 책 쓰기, 출간 교육, 코칭 전문가들 중 내공 있는 사람들이 없어서 책 쓰기, 책 출간 책을 보더라도 독학하기 힘들다는 것이다. 내공이 있더라도 따라 하기 쉽게 사용 설명서를 만들어 놓은 사람들이 없다.

《PPT로 책출간》 책을 통해서 말하고 싶은 것은 책 쓰기, 책 출간을 순서대로 따라 한다면 얼마든지 독학으로 가능하다고 말을 하고 싶다는 것이다.

그럼에도 불구하고 "최보규 방탄book 코칭전문가님 저는 멘토도 되어주고 200년 a/s, 피드백, 관리 받을 수 있는 방탄book기술력을 배우고 싶습니다."라는 마음이 드는 사람들은 상담 받길 바란다.

"당신은 제가 좋은 사람이 되고 싶도록 만들어라"라는 마음을 늘게 하는 멘토가 되어 주겠다.

이제 부터는 종이책 표지 디자인 설명 2), 3), 4), 5)를 설명하겠다. 가장 빠르게 배우는 방법은 만들어 놓은 것을 계속 반복적으로 익숙해질 때까지 보고 경험하며 실습을 해보는 것이다. 종이책 표지 디자인 설명 2), 3), 4), 5)는 어떤 콘셉트로 만들어 졌는지 집중해서 보길 바란다.

① **PPT로** ③ **책** **출간**

② PPT로 100년 수입 창출 책 쓰기, 책 출간

"최초"
PPT로 책쓰기
사용 설명서

"최초"
PPT로 책출간
사용 설명서

"최초"
방탄 책쓰기
지침서

최보규 방탄책쓰기 전문가　BOOKK

- 2) 《PPT로 책 출간》 책 표지 디자인 설명

#. 좌, 우, 위, 아래 기본 픽셀(PX) 사이즈는 1표지 제작과 동일하기에 1표지 설명을 참고하길 바라고 빠른 설명을 위해 표지 콘셉트 설명만 하겠다.

①번: 책 제목. 처음 생각한 제목이 강의 교안으로 책 쓰기고 책 출간이었다. 강의 교안으로 해버리면 강사 직업만 한정 짓는 거 같아서 PPT를 활용하는 모든 사람들이 볼 수 있는 제목을 만들기 위해서 책 제목을 《PPT로 책 출간》으로 정했다. 책 제목에서 책이 추구하는 목표, 방향, 대상, 연령층, 직업군... 등 한마디로 타겟층이 명확하게 나와야 한다. 가장 중요한 것은 시중에 나와 있는 책 제목과 차별화가 있어야 되고 끌려야 한다. 책 표지 디자인의 차별화가 70% 라면 책 제목 차별화는 30%다.

자신이 책 쓰고 싶은 분야 책 제목을 포털 사이트에서 검색을 해보고 책 쓰고 싶은 분야 책을 100권 정도 보면 어떤 제목들이 많고 디자인은 어떤지 평균적인 감이 올 것이다. 그런 다음 자신이 쓰고 싶어 하는 책 분야 현실 트랜드, 타겟층의 심리까지 어느 정도 파악해서 책 제목을 만든다면 차별화된 책 제목이 나올 것이다.

②번: 부제목. 말 그대로 부제목이다. 제목을 뒷받침해서 책 목표, 방향을 좀 더 구체적으로 알려주는 부제목이다. 사람의 심리는 글보다는 시각적인 이미지가 더 강력하게 반응하지만 이미지를 폭발 시키는 것이 압축적인 핵심 문구다. 제목만 있을 때와 부제목이 같이 있을 때 차이는 개미와 코끼리 차이다. 부제목이 책의 전부를 설명하는 경우도 있다.

③번: 책 제목 디자인. 말 그대로 제목을 강조하기 위한 디자인이다. 직사각형으로 디자인할 수 있었지만 책 제목이 책 출간이기에 책을 상징하는 디자인으로 했다. 직사각형과 책을 연상시키는 디자인 차이점이 확연히 보일 것이다. 어떤 옷을 입느냐에 따라 스타일이 살고 죽듯 책 제모 디자인 또한 어떻게 하느냐에 따라 제목을 살리고 죽인다.

종이책 표지 디자인 설명

① **PPT로 책 출간**
②
③ PPT로 100년 수입 창출 책 쓰기, 책 출간

④ ⑤ ⑥ ⑦ ⑧

최보규 방탄책쓰기 전문가   BOOKK

④번: 책 표지 디자인 핵심 존. 책 제목이 느낄 수 있는 이미지를 만들어야 한다. 단순하게 PPT 아이콘 이미지에 책 이미지로 넣는다면 뻔한 책 표지가 되어 버린다. 좀더 차별화를 주고 시중에 있는 다른 책과 다른 콘셉트를 주기 위해서 로봇 조립 장감만을 사면 부품들이 하나씩 연결 되어 있는 디자인을 토대로 책 아이콘이 아닌 진짜 책을 출간한 책 이미지를 넣었다.

결과물(출간한 책)을 넣어야만 더 삼성(진정성, 전문성, 신뢰성)이 어필 된다.

종이책 표지 디자인 설명

③
① **PPT로 책 출간**
② PPT로 100년 수입 창출 책 쓰기, 책 출간

④ ⑤ ⑥ ⑦ ⑧

"최초"
PPT로 책쓰기
사용 설명서

"최초"
PPT로 책출간
사용 설명서

"최초"
방탄 책쓰기
지침서

최보규 방탄책쓰기 전문가   BOOKK✏

⑤번: PPT 아이콘. 책 제목에 맞는 직관적인 아이콘으로 디자인했다.

⑥번: 바꾸는 아이콘. PPT를 책으로 바꾸는 아이콘이나 업데이트 아이콘으로 디자인했다.

⑦번, ⑧번: 3D입체 표지. PPT를 책으로 출간한 책 3D 입체 표지로 디자인했다. 결과물을 만들어 냈던 실제 이미지로 디자인하면 삼성(진정성, 전문성, 신뢰성)이 어필된다.

- 3)《리더십 PT 1》책 표지 디자인 설명

#. 좌, 우, 위, 아래 기본 픽셀(PX) 사이즈는 1표지 제작과 동일하기에 1표지 설명을 참고. 빠른 설명을 위해 표지 콘셉트 설명만 하겠다.

①번: 책 제목. 《리더십 PT 1》책은 1 ~ 11까지 있다. 책 제목을 짓기 위해 많은 검색과 생각을 했고 뻔한 리더십 책 제목이 아니라 책이 추구하는 목표, 방향을 정확하게 들어낼 수 있는 책 제목을 짓기 위해 고민을 많이 했었다. 1,000년이 흘러도 제목이 시대에 뒤처지는 않는 책 제목을 만들고 싶었다.

어느 날 방탄book기술력 코칭을 하러 가는 중에 헬스 PT 전단지가 보였다. 순간 피카츄 100만 볼트 전기가 머리를 스쳤다.

헬스 PT 뜻은 Personal Training의 약자로 1대1 맞춤형 트레이닝이다. 사람마다 다른 체형별 운동을 지도해 목적과 목표에 맞는 운동 방법을 제시하는 것이다. 한마디로 체계적인 시스템 안에서 운동을 헬스 전문가에게 배우는 것이다.

리더십도 마찬가지다. 위치가 사람을 만드는 것이 아니

라 리더십을 체계적으로 시스템 안에서 학습, 연습, 훈련하지 않으면 위치가 사람을 망치고 인재를 떠나게 하여 회사를 망하게 한다. 그래서 세계 최초로 리더십 PT 시스템을 만들었다. 특허청 등록으로 검증된 리더십 PT 11권 책 제목이 되었다.

세상에는 3부류에
리더십 PT를 배우는 사람이 있다!

리포자(리더십 PT 포기자)
수많은 리더십 PT 영상, 글... 등을 봤지만 전혀 동기부여가 되지 않아 리더십 PT를 포기한 사람.

리포 예정자
수많은 리더십 PT 독서, 자격증, 교육, 코칭을 받지만 그때뿐이고 시간, 돈 낭비만 하는 사람.

리케시(리더십 PT 케어 시스템)
리더십 PT 시스템 안에서 리더십 PT 주치의에게 150년 a/s, 피드백, 관리 받으면서 자신 분야 변화, 성장을 초고속으로 준비 하는 사람.

⑦

① **리더십 PT 1**

③

앞서가는 리더는 PT한다!

② **앞도적 차이를 만드는**
④
방탄 리더십 PT

⑦

⑤

⑥ ★★★★☆
**세계 최초
방탄PT**

★★★★☆
**리더십PT
사용 설명서**

★★★★☆
**리더PT
매뉴얼**

최보규 방탄동기부여 전문가

BOOKK✎

②번: 부제목. 제목을 뒷받침해서 책 목표, 방향을 좀 더 구체적으로 알려주는 부제목이다. 20,000명 심리 상담, 코칭 하면서 알게 된 것은 대부분 사람들은 '차별화를 주기 위해서 힘써야 된다.'라고 알고 있다. 차별화보다 더 강력한 것이 어떤 걸까? 생각과 고민을 하던 중 우주에서 가장 사랑하는 아내가 '앞도적 차이'라는 말을 하는 것이었다. 순간 피카츄 200만 볼트 전기가 머리를 스쳤다. 그래서 앞도적 차이를 만드는 방탄 리더십 PT 라는 부제목을 만들었다. 방탄리더십이 추구하는 목표, 방향이 강력하게 전달되는 문구를 만들어서 존경하는 아내에게 늘 감사한다.

③번: 책 제목 디자인. 제목의 날개를 달아주는 디자인 이다. 헬스는 누구나 하지만 헬스 PT는 아무나 받지 않 듯이 리더십은 누구나 있지만 리더십 PT는 아무나 받지 않는다는 의미가 담겨있는 이미지다. ④번, ⑤번 책 표 지 핵심 이미지를 뒷받침해주는 이미지다.

④번, ⑤번: 책 표지 핵심 이미지. 부 제목인 앞도적 차 이를 만드는 방탄 리더십 PT를 상징하며 리더십 PT 책 전체 디자인을 한방에 느끼게 해줄 수 있는 역동적이고 강력함을 느끼게 해주는 불꽃 총알 디자인이다.
"이 책을 보면 리더십 PT 받으면 나도 기존에 있는 리

더보다 앞서가는 리더가 될 수 있겠다."라는 메시지를
주는 디자인이다.

⑥번: 책 타이틀. **책의 가치, 내공, 값어치를 어필하기
위한 디자인이다.** 세계 최초 방탄 PT, 리더십 PT 사용
설명서, 리더 PT 매뉴얼.

#. 책의 가치, 내공, 값어치를 어필하는 다른 예시) 동기
부여 사용설명서, 직장인 필독 도서, 리더 필독 도서, 동
기부여 지침서, 자기계발 지침서, 동기부여 바이블... 등

⑦번: 바탕 이미지. 리더십 PT를 받으면 리더의 가능성
은 무한하다는 것을 어필하기 위한 우주와 별빛이 있는
이미지 디자인.

기업들 희망퇴직 만 40세부터... **희망퇴직 나이 73세 이고 대한민국 현실 은퇴 나이 49세! 20대 은퇴 예정 자? 30대 은퇴 확정자?** 40대 은퇴 위험군?

노벨상 받은 사람, 하버드 대학교 교수, 은퇴 전문가, 노후 전문가들 1,000명 이면 1,000명 이 말하는 것은 최고의 은퇴 준비, 노후 준비는 100세까지 현역을 하 는 것이다. 왜 가지고 있는 경력을 썩히고 있는가? 쌓 은 경력은 사직, 퇴직, 은퇴... 하면 인정해 주지 않는 현실 속에서 쌓은 경력으로 100세까지 지속할 수 있 는 JOB이 있다면? 나이 제한 없이 할 수 있는 JOB이 있다면?

◎ 특허청 등록 ◎
최보규 자기계발코칭 창시자
등록 번호: 제 40-2072344 호

◎ 특허청 등록 ◎
최보규 강사책출간 코칭전문가
등록 번호: 제 40-2200794 호

◎ 특허청 등록 ◎
최보규 리더동기부여 코칭전문가
등록 번호: 제 40-2128786 호

특허청 등록으로 검증된 전문가와 함께 시작하자!

Google 자기계발아마존 ▶YouTube 방탄자기계발 NAVER 방탄ook기술력 NAVER 최보규

- 4)《나다운 방탄습관블록》책 표지 디자인 설명

#. 좌, 우, 위, 아래 기본 픽셀(PX) 사이즈는 1표지 제작과 동일하기에 1표지 설명을 참고. 빠른 설명을 위해 표지 콘셉트 설명만 하겠다.

①번: 책 제목. 《나다운 방탄습관블록》책은 필자가 어떤 사람인지, 앞으로 어떻게 살아갈지 알게 해주는 책이다. 보통 사람들의 자서전과 차원이 다른 책이다.《나다운 방탄습관블록》책 구성이 몸 습관블록 쌓기, 머리 습관블록 쌓기, 마음 습관블록 쌓기로 되어 있다.

습관의 본질과 381가지 몸, 머리, 마음 습관을 만들면서 깨달은 것이 있다. 습관을 만드는 것보다 중요한 것이 가지고 있는 좋은 습관들을 지키는 것이 시작이 되어야만 좋은 습관들을 레고 블록처럼 쌓을 수 있다는 것을 알았다.

이런 깨달음으로 습관 책을 집필하면서 처음에는 책 제목을 나다운 습관으로 만들었다. 최보규 방탄book 코칭 전문가의 첫 번째 멘토인 우주에서 가장 사랑하는 아내와 습관 책에 대해서 대화를 하는 중에 아내가 하는 말이 "습관을 보호하는 게 먼저면 방탄 케이스가 스마트폰을 보호해 주듯 방탄 습관이 되어야겠네? 제목을 나다운 방탄습관블록이 어울릴 거 같은데?"라는 말에 순간 피카츄 300만 볼트 전기가 머리를 스쳤다. 45년간 381가지 습관을 통해 습관의 본질과 몸 습관블록 쌓기, 머리 습관블록 쌓기, 마음 습관블록 쌓기를 한 문장으로 압축해서 말할 수 있게 해주는 것이 《나다운 방탄습관블록》 책 제목이었다.

그때를 회상하면 장기, 바둑을 둘 때 훈수하는 사람(훈수도 내공이 있어야 한다)이 더 잘 두듯 옆에서 조언해 주는 사람의 힘이 얼마나 대단한지를 새삼 느꼈던 상황이었다. 책 쓰기, 책 출간에 직접적으로 눈을 뜨게 한 책이 《나다운 방탄습관블록》 책 출간이었다. 《나다운 방탄습관블록》 책으로 인해 종이책 200권, 전자책 300권 총 500권 출간할 수 있었다고 감히 말하고 싶다.

②번: 책 제목 디자인. 세계 최초라고 하면 사람들이 물어 본다. "진짜 세계 최초로 만든 거 맞냐고? 그걸 어떻게 알 수 있냐고? 세계 최초를 너무 남발하는 거 아니냐고?" 왜 자신 있게 세계 최초라고 말을 하는지 아는가? 세계 최초인지 아닌지 어떻게 알 수 있을까? 검색을 해서 알 수 있을까? 아니다.

세계 인구 80억 명이다. 사람의 지문이 같은 사람이 없듯이 나다움 또한 같은 사람이 없다는 것이다. 한마디로 나답게 만들면 세계 최초가 되는 것이고 세계에서 똑같은 것이 나올 수가 없다는 것이다.

백 번, 천 번 양보해서 설령 책 제목이 똑같은 게 있을 수 있지만 책 내용은 나답게, 최보규답게 집필했기 때문에 세계 최초가 되는 것이고 우주에서 유일한 것이 되는 것이다. 이제 이해가 되는가? 그래서 제목을 뒷받침해주는 '세계 최초'라는 디자인을 한 것이다.

③번: 책 핵심 문구. 책 핵심 디자인도 있지만 책 핵심 문구도 있다. 이미지를 부연 설명해 주는 것이 텍스트다. 이미지를 극대화해 주는 것이 핵심 문구다. 뻔하고 식상한 핵심 문구가 아니라 "우와! 이건 뭐지? 처음 듣는 말인데... 기존에 알고 있는 내용에서 볼 수 없는 문구인데... 보고 싶게 만드는 문구다."라는 책 핵심 디자인으로 부족했던 2%를 핵심 문구로 100%를 채워야 한다. 다음으로 나오는 2% 부족한 문구, 100%를 채워주는 문구의 비교 이미지를 보자.

한 분야 전문성으로 힘든 시대다. 이제는 포트폴리오 커리어 시대다. (포트폴리오 커리어: 한 분야 전문성 외 다수에 전문성이 있는 사람) 자신 경력을 왜 썩히고 있는가! 자신 경력을 활용해서 6가지 수입을 발생시킬 수 있는 방탄book기술력! 언제까지 몸(노동)으로 일할 것인가? 자신 경력이 일하게 하자! 자신 콘텐츠가 일하게 하자! 시스템이 일하게 하자!

★ ★ ★ ★ ★

직장은 자신 인생을 책임져 주지 않지만
방탄book기술력은 자신 인생을 책임져 준다.
직장은 자신을 배신하지만
방탄book기술력은 자신을 배신하지 않는다.

ONLY ONE

방탄
BOOK
기술력

| Google 자기계발아마존 | ▶YouTube 방탄자기계발 | NAVER 방탄ook기술력 | NAVER 최보규 |

종이책 표지 디자인 설명

② 세계 최초

나다운
방탄습관블록

최보규 지음

지금까지 알고 있는 습관 공식은 잊어라!
당신이 그토록 찾고 있던 습관 공식!
세상 모든 것이 변해도 ③
나다운 방탄습관블록은 변하지 않는다.
습관 아인슈타인!

"최초"
습관 바이블 ⑤

①

④

⑥

⑦

120

④번: 책 표지 핵심 이미지. 《나다운 방탄습관블록》책 본질인 "만들었던 좋은 습관을 보호하고 앞으로 만들고 싶은 습관을 만들었을 때 외부로부터 만든 습관을 보호할 수 있어야 한다."라고 했다. 보호하고 방어할 수 있는 단단함을 어필할 수 있는 콘셉트로 디자인을 하고 싶었다.

사람의 모든 것은 뇌에서 시작하기에 머리(뇌)를 단단하게 표현 할 수 있고 단단함의 상징인 화려한 다이아몬드를 연상하게 하는 이미지 디자인을 선택했다. 그리고 이미지에 물음표가 있다. 물음표의 의미는 나다운 습관을 만들어 가기 위해서 끊임없이 의문점을 가지고 학습, 연습, 훈련을 해야 한다는 의미다.

⑤번: 책 타이틀. bible뜻은 어떤 분야에서 지침이 될 만큼 권위가 있는 책이라는 의미다. 습관분야 베스트셀러, 45년 간 습관 381가지 만듦, 20,000명 심리 상담, 코칭 경력, 2,000권 독서, 책 종이책 200권, 전자책 300권 총 500권 출간 경력으로 만들었기에 습관 바이블이라고 디자인 했다.

⑥번: 바탕 이미지. 자신은, 나다움은 우주에 한명 뿐이라는 의미로 디자인 했다.

⑦번: 바탕 경계 이미지. 책 핵심 문구를 어필하기 위한 경계 이미지로 디자인 했다.

- 5) 《방탄 리더 동기부여 1》 책 표지 디자인 설명

#. 좌, 우, 위, 아래 기본 픽셀(PX) 사이즈는 1표지 제작과 동일하기에 1표지 설명을 참고. 빠른 설명을 위해 표지 콘셉트 설명만 하겠다.

①번: 책 제목. 일반 사람에게도 동기부여가 필요하지만 리더에게는 일반 사람들과 다른 동기부여가 필요하다. 리더 자신이 동기부여를 하지 못하는데 자신을 따르는 사람을 어떻게 동기부여를 시키겠는가? 지금 시대는 위치가 사람을 만드는 것보다 위치가 사람을 망치는 경우가 더 많다. "옷걸이가 걸쳐지는 옷들이 자신인 마냥 착각하는 리더"라는 태도로 리더 위치에서 주어진 타이틀, 벼슬, 권력이 영원할 것이라는 착각 속에 산다.

리더의 자만심, 권위주의, 꼰대심(리더병)으로 부터 자신의 리더십을 보호을 하기 위한 방향 제시와 세상, 현실, 주위 사람들의 참견으로부터 휩쓸리지 않는 통찰력을 향상시키는 내용이기에 책 제목을 방탄 리더 동기부여로 정했다.

②번: 부제목. "우리 리더는 제가 좋은 사람이 되고 싶도록 만들어요!" 이 말은 리더가 자신을 따르는 사람들 동기부여 시켜주는 가장 강력한 동기부여다. "우리 리더

는 제가 좋은 사람이 되고 싶도록 만들어요!” 이 말을 듣기 위한 리더 동기부여 책이다.

“우리 리더는 제가 좋은 사람이 되고 싶도록 만들어요!” 이 말속에 담겨 있는 의미가 많다. 10,000개 중에 10개만 알려주겠다.

1. “들어라 말하지 않아도 듣게 한다.”
2. “따르라 말하지 않아도 따르게 한다.”
3. “믿어라 말하지 않아도 믿게 한다.”
4. “해라가 아니라 함께 하자”
5. “우리 리더와 100년 함께 하고 싶다.”
6. “리더에게 도움이 되는 사람이 되기 위해 성장해야겠다.”
7. “우리 리더는 삼성(진정성, 전문성, 신뢰성)이 있다.”
9. “나 자신은 못 믿겠는데 나를 믿어주는 리더가 있어서 자신감이 생긴다. 리더와 함께라면 나도 성공할 수 있을 거 같다.”
10. “나도 누군가에 ‘우리 리더는 제가 좋은 사람이 되고 싶도록 만들어요.’라는 듣기 위해 내 위치에서 최선을 다해야겠다.”

③번: 책 표지 핵심 이미지. 계단은 계기, 동기부여, 멘토를 의미한다. 계기가 있어야 인생 한 단계 도약하고

동기부여가 되어야 한 단계 변화하며 멘토로 인해서 한 단계 성장한다. 여기에서 가장 중요한 것은 멘토다. 멘토는 비대면 멘토, 대면 멘토로 나누어진다. 비대면 멘토는 책, 동기부여 영상이 있고 대면 대면 멘토는 강사, 교육자, 코칭 전문가가 있다. 책 표지 이미지에서 계단을 오르는 사람은 목표, 꿈을 이루기 위해서는 멘토에게 동기부여를 받아야만 한 계단씩 오를 수 있다는 의미이다. 계단 정상에 또 다른 이미지에 계단 시작은 멘토에게 동기부여로 인해 꿈, 목표를 이룬 뒤 또 다른 계단 (성공한 인생)을 오르기 위한 동기부여를 해야 된다는 의미다. 꿈, 목표를 이루었다고 끝이 아니라는 의미며 멘토의 동기부여를 어떻게 받느냐에 따라서 인생이 달라진다는 책 표지 핵심 이미지에 의미다.

멘토의 동기부여를 받지 못하면 삶의 신호와 소음 구분이 힘들어진다. 신호는 자신에게 배움, 변화, 성장에 도움이 되는 것이고 소음은 자신 배움, 변화, 성장을 방해한다. 인생을 살면서 가장 큰 신호, 소음을 주는 것이 사람이다. 신호를 주는 사람, 소음을 주는 사람이 있다.

방탄 리더 동기부여가 인생의 신호를 주는 사람, 소음을 주는 사람을 구분하게 해준다.

④번: 책 타이틀. 방탄 리더 동기부여는 대한민국 최초, 세계 최초이다.

⑤번: 바탕 이미지. 검은색 바탕에 진한 핑크색 점으로 이루어진 디자인은 모든 것들은 작은 점에서 시작한다는 의미다. 앞이 깜깜한 인생에서 사소한 동기부여가 누적이 되어 인생을 밝게 한다는 의미다.

3D 입체 표지 디자인

종이책 200권, 전자책 300권 총 500권 출간 출간했던 3D 입체 표지 샘플을 보면서 어떤 생각이 들었는가?

20,000명 심리 상담, 코칭 하면서 쌓인 내공과 종이책 200권, 전자책 300권 총 500권 출간 했던 내공으로 당신이 지금 어떤 생각이 들었고 어떤 궁금증이 생기는지 맞혀 보겠다.

"표지 앞면 디자인과 3D 입체 표지 디자인 차이가 많이 난다. 3D 입체 표지가 진짜 책처럼 생동감이 느껴진다. 그런데 인터넷 서점에서 검색을 해보면 3D 입체 표지가 아니라 2D 표지 앞면만 나오던데? 가끔씩 책 상세 설명에 나오는 것을 종종 본거 같은데... 주로 3D 입체 표지 어디에 쓰는 거지? 진짜 마우(마우스만 움직일 줄 아는 우주 초보)실력으로 포토샵에서 가능한 3D 입체 표지 디자인을 할 수 있다고? 믿어지지 않는데? 마우(마우스만 움직일 줄 아는 우주초보)실력으로 만들 수 있다면 제대로 배워 보고 싶다."

3D 입체 표지는 책 마케팅을 할 때 필요하다. 책 앞면 표지 디자인만 했을 때 홍보 이미지와 3D 입체 표지 디자인했을 때 홍보 이미지 차이는 많이 난다. 2D와 3D 차이라고 보면 된다.

166

2D 표지와 3D 표지 비교

책 마케팅에 가장 중요한 3D 표지 디자인

인생은 어떤 사람(멘토)을 만나느냐에 따라 달라지고 자신 분야 전문성은 어떤 도구를 활용하느냐에 따라 달라진다.

단언컨대 마우(마우스만 움직일 줄 아는 우주 초보) 실력으로 책 표지를 만들 수 있다면 3D 입체 표지도 도구(프로그램)를 활용해 만들 수 있다. 3D 입체 표지 디자인 만드는 방법 시작한다. 집중!

6) 3D 입체 표지 디자인 만드는 방법

- 1) 3D 입체 표지 디자인 만드는 방법

① 무료 목업 사이트 https://diybookcovers.com/

만들어 놓은 표지(1540px * 2160px)를 사용 하면 된다. diybookcovers 사이트 홈페이지에 들어가서 메인화면 중간쯤에 무료 3D 도서 모형 만드는 버튼이 있다.

총 3단계로 이루어져 있다.
1단계는 3D모형을 선택.
2단계는 표지 이미지 선택.
3단계는 무료 모형 다운로드.
누구나 쉽게 할 수 있는 순서이니 특별한 설명이 필요가 없다. 그럼에도 불구하고 힘들다면 네이버에서 3D 입체 표지 만들기 검색하면 설명을 해놓은 블로그들이 많다.

② 유료 목업 사이트 플레이스잇 https://placeit.net/

필자는 플레이스잇 프로그램을 활용하고 있다. 3D 입체 표지 디자인도 많고 표지 활용할 수 있는 플랫폼(책 표지 동영상 제작)도 많다. 유료를 써야 되는 이유는 무료면 많은 사람들이 쓰기에 경쟁력이 떨어진다. 그래서 제대로 할 거라면 유료를 쓰고 대충 하거나 책으로 돈을 벌 생각이 아니라면 무료를 쓰면 된다.

유료 3D 입체 표지 디자인

유료 3D 입체 표지 디자인

유료 3D 입체 표지 디자인

유료 3D 입체 표지 디자인

유료 3D 입체 표지 디자인

20,000명 심리 상담, 코칭으로 알게 된
20,000명이 바라는 책 쓰기, 책 출간 교육, 코칭

10가지

1 한번 출간한 책으로 평생 활용하는 방법을 알려주는 교육, 코칭

2 로또 2등과 같은 기획출판을 하기 위해서 출판기획서 제작 스트레스, 거절 메일을 확인 하는 스트레스, 370가지 스트레스... 등 마음고생 덜 하고 책 출간할 수 있는 책 쓰기 교육, 코칭

3 책 활용 수입 창출 시스템 교육을 검증 된 전문가에게 한 곳에서 시간, 돈 낭비를 줄여주는 책 쓰기 교육, 코칭

4 한번 코칭으로 100년 a/s, 피드백, 관리해 주는 책 쓰기 교육, 코칭

5 책 출간 후 자신 분야 삼성(진정성, 전문성, 신뢰성)을 높여 자신 분야 내공, 가치, 몸값까지 올릴 수 있는 책 쓰기 교육, 코칭

6   출간한 책으로 강사가 되어 은퇴 후 제2의 직업을 할 수 있는 책 쓰기 교육, 코칭

7   책 출간 후 자신 분야 코칭 전문가가 되어 은퇴 후 제3의 직업까지도 할 수 있는 책 쓰기 교육, 코칭

8   책 출간 후 온라인 콘텐츠까지 제작을 해서 비수기 없는 책 쓰기 교육, 코칭

9   책 출간 후 디지털 콘텐츠까지 제작을 해서 월세, 연금성 수입까지 발생시킬 수 있는 책 쓰기 교육, 코칭

10   책 한 권 출간하고 끝나는 것이 아니라 100년 동안 책을 무한대로 출간 할 수 있는 책 쓰기, 책 출간 기술력을 교육, 코칭

책 쓰기, 책 출간 교육, 코칭은 누구나 한다.
6가지 수입 창출 책 쓰기, 책 출간
교육, 코칭은 방탄BOOK 장시자 뿐이다.

특허청 등록

최보규 강사책출간 코칭전문가

등록 번호: 제 40-2200794 호

www.방탄book.com

세계에서 20,000명이 바라는
책 쓰기, 책 출간 교육, 코칭 10가지를 할 수 있는 곳은

방탄book출판사 뿐이다!
최보규 방탄book기술력 코칭전문가

PPT로 3D 입체 표지 디자인

마우(마우스만 움직일 줄 아는 우주 초보)인 사람도 할 수 있는 3D 입체 표지 디자인 하는 방법이 있다면?

포토샵보다 1,000배는 쉬운 PPT를 활용해서 3D 입체 표지 디자인을 할 수 있다. PPT로 3D 입체 표지 한 번 제작을 통해 3D 입체 표지를 무한대로 만들 수 있다.

마우도 만들 수 있는
(마우스만 움직일 수 있는 우주 초보)
PPT에서
3D 입체 책 표지 디자인

책 앞면, 책등 표지 디자인 준비

1. PPT 표준(4:3)사이즈 지정

PPT → 디자인 → 사용자 지정 → 슬라이드 크기 → 표준(4:3)

PPT 배경 사이즈는 표준, 와이드스크린, 사용자 지정이 있다. 평균적으로 표준(4:3)사이즈를 많이 하고 3D 입체 표지작업을 할 때 좀 더 쉽게 할 수 있다. 여러 사이즈를 시도해서 자신에게 맞는 것으로 해도 된다.

2. 책 앞면, 책등 표지 PPT에 삽입

삽입 → 그림 → 이 디바이스 → 책 앞면, 책등 표지 이미지가 있는 폴더 → 책 앞면 삽입 → 책등 삽입.

PPT에 이미지 삽입하는 순서는 PPT 기능 중에 가장 초보 수준이다. 마우(마우스만 움직일 수 있는 우주 초보)수준에서 설명한다는 것을 참고하자. 아무리 쉬워도 모르면 우주에서 가장 어려운 것이고 알고 나면 우주에서 가장 쉬운 것이 된다.

3. 책 앞면 표지 원근감

책 앞면 표지 클릭 → 그림 서식→ 3차원 회전 →
원근감:오른쪽
#. 다른 방법: 회전 각도 입력 → 책 앞면 이미지
에서 오른쪽 마우스 클릭 → 그림 서식 → X회전
340°, 원근감 45°입력(자유롭게 각도 설정)

한 번 세팅을 해 놓으면 다음부터는 그림 바꾸기
로 무한대로 만들 수 있다.

4. 책등 표지 원근감

책 앞면 표지 클릭 → 그림 서식→ 3차원 회전 →
원근감:왼쪽
#. 다른 방법: 회전 각도 입력 → 책등 이미지에
서 오른쪽 마우스 클릭 → 그림 서식 → X회전
30°, 원근감 115°입력(자유롭게 각도 설정)

한 번 세팅을 해 놓으면 다음부터는 그림 바꾸기
로 무한대로 만들 수 있다.

5. 책 앞면, 책등 표지 붙이기

4단계에서 책 앞면, 책등 표지 원근감 작업을 하면 입체적으로 이미지가 만들어진다. 떨어져 있는 책 앞면 표지와 책등 표지를 붙어야 되는데 위, 아래 사이즈가 다를 경우는 전체 크기 조절을 하면서 붙이면 된다. 빨간 화살표(삽입 → 도형 → 선) 선은 위, 아래 맞추기 위해서 만들어 놓은 임시 선이다. 책 앞면, 책등 표지 붙이고 나서 삭제하면 된다.

6. 3D 입체 표지 그림자

①삽입 → 도형 → 선(선 4개) → ②삽입 → 도형 → 자유형:도형(빨간 화살표 선 4군데 모서리를 클릭하면 그림자 도형이 만들어진다.) → ③번은 마우스 우클릭 → 맨 뒤로 보내기

빨간 화살표 선은 그림자 위치를 잡기 위한 가상에 선이고 그림자 작업 후에는 삭제하면 된다.

3D 입체 표지 그림자는 만들지 않아도 무방하나 그림자가 있다면 입체감이 더 높아진다.

6. 3D 입체 표지 그림자

#. 그림자 효과
그림자 도형에서 오른쪽 마우스 → 도형 서식 →
도형 효과 → 부드러운 가장 자리 → 12pt
그림자 효과를 넣으면 포토샵에서 할 수 있는 작
업을 PPT에서도 3D 입체 표지 디자인을 할 수
있다. 책 앞면, 책등 표지 디자인만 있다면 그림
바꾸기 기능으로 무한대로 3D 입체 표지 디자인
을 할 수 있다.

3D 입체 표지 완료

방탄book기술력!

커피숍에서 지인과
대화 중에도 돈이
입금되는 시스템?

자고 있는데
돈을 버는 시스템?

여행 중에도 돈이
입금되는 시스템?

사무실, 직원이
필요 없는 시스템?

건물주처럼
월세가
입금되는 시스템?

집에서 댕댕이와
휴식하고 있는데 돈이
입금되는 시스템?

방탄book기술력은
책만 쓰고 출간, 수입 창출만 하는
기술력이 아니다.
"당신은 제가 좋은 사람이 되고
싶도록 만들어요." 말을 들을 수 있는
인재를 양성하는 기술력이다!

Google 자기계발아마존　▶YouTube 방탄자기계발　NAVER 방탄ook기술력　NAVER 최보규

날개 표지 디자인 샘플

날개 표지 이미지

출간한 책 이미지

책 앞면 날개 표지

특허청 등록
최보규 자기계발코칭 창시자
★ 등록 번호: 제 40-2072344 호 ★

최보규
방탄자기계발 전문가
유튜브 〈방탄자기계발최보규〉
nice5889@naver.com

★ 80억 분의 1 ONLY ONE 검증된 동기부여 일타강사!
★ 삼성(전문성, 진정성, 신뢰성)이 검증된 코칭 전문가.
★ 출판계 최초! 출판계의 혁신인 6가지 수입 창출 책 쓰기, 출간 기술력을 창시한 사람. [출판계의 스티브 잡스]

★ 20,000명 심리 상담, 코칭을 통해 대한민국 극단적인 선택률, 이혼율을 낮추고 행복률을 올리기 위해 방탄자기계발사관학교를 만든 사람.
www.방탄자기계발사관학교.com

★ 20,000 / 7G / 2,000 / 7,000 / 100 / 50 / 6,000 / 45 / 320 / 15 숫자가 말해주는 사람!
20,000명 심리 상담, 코칭.
7G 직업(출판사 대표, 작가, 심리 상담사, 코칭 전문가, 강사, 유튜버, 한집의 가장)
2,000권 독서. 7,000개 메모. 자기계발서 100권 출간.
100권 출간한 책으로 온라인 콘텐츠, 디지털 콘텐츠 제작하여 50층 온라인 건물주. 강의 6,000회.
45년간 습관 320가지 만듦. 강사 15년 차.

★ 최보규상(대한민국 노벨상)을 만든 사람.
최보규를 알고 있는 사람들에게 나다운 행복을 만들어 주기 위해 올바른 노력을 하는 사람.

책 앞면 표지

책 뒷면 표지

세상에는 3부류에
동기부여를 배우는 사람이 있다!

동포자(동기부여 포기자)
수많은 동기부여 영상, 글... 등을 봤지만 전혀 동기부여가 되지 않아 동기부여를 포기한 사람.

동포 예정자
수많은 동기부여 독서, 자격증, 교육, 코칭을 받지만 그때뿐이고 시간, 돈 낭비만 하는 사람.

동케시(동기부여 케어 시스템)
동기부여를 시스템 안에서 동기부여 주치의에게 150년 a/s, 피드백, 관리 받으면서 자신 분야 변화, 성장를 초고속으로 준비 하는 사람.

NAVER 방탄동기부여

책 뒷면 날개 표지

책 앞면 날개 표지 디자인 설명

⑫ ◉ 특허청 등록 ◉
최보규 자기계발코칭 창시자
★ 등록 번호: 제 40-2072344 호 ★

⑬ **최보규**
방탄자기계발 전문가
유튜브 〈방탄자기계발최보규〉
nice5889@naver.com

★ 80억 분의 1 ONLY ONE 검증된 동기부여 일타강사!
★ 삼성(전문성, 진정성, 신뢰성)이 검증된 코칭 전문가.
★ 출판계 최초! 출판계의 혁신인 6가지 수입 창출 책 쓰기, 출간 기술력을 창시한 사람. [출판계의 스티브 잡스]

★ 20,000명 심리 상담, 코칭을 통해 대한민국 극단적인 선택률, 이혼율을 낮추고 행복률을 올리기 위해 방탄자기계발사관학교를 만든 사람.
www.방탄자기계발사관학교.com

★ 20,000 / 7G / 2,000 / 7,000 / 100 / 50 / 6,000 / 45 / 320 / 15 숫자가 말해주는 사람!
20,000명 심리 상담, 코칭.
7G 직업(출판사 대표, 작가, 심리 상담사, 코칭 전문가, 강사, 유튜버, 한집의 가장)
2,000권 독서. 7,000개 메모. 자기계발서 100권 출간.
100권 출간한 책으로 온라인 콘텐츠, 디지털 콘텐츠 제작하여 50층 온라인 건물주. 강의 6,000회.
45년간 습관 320가지 만듦. 강사 15년 차.

★ 최보규상(대한민국 노벨상)을 만든 사람.
최보규를 알고 있는 사람들에게 나다운 행복을 만들어 주기 위해 올바른 노력을 하는 사람.

198

- 2) 책 앞면 날개 표지 디자인 설명

① 책날개 기본 A5 사이즈 - 세로 216mm
② 책날개 - 가로 100mm
③ 인쇄 할 때 위, 아래 절단선 - 3mm
④ 인쇄 할 때 절단선 - 3mm
⑤ 위에서부터 - 10mm
⑥ 위에서부터 - 44mm
⑦ 위에서부터 - 80mm
⑧ 위에서부터 - 84mm
⑨ 아래에서부터 - 10mm
⑩ 왼쪽에서부터 - 7mm
⑪ 오른쪽에서부터 - 9mm
⑫ 저자, 책이 검증되어 법의 보호를 받고 있다는 것을 증명하는 디자인. (자신이 가지고 있는 타이틀 중에 강력하게 어필할 수 있는 내용이면 좋다.)
⑬ 저자 사진, 이름, 전문 분야 타이틀, 유튜브, 메일... 등. (자신과 직접적으로 소통할 수 있는 타이틀)
⑭ 저자 소개, 책의 가치, 내공, 값어치를 어필할 수 있는 소개 글.

책 앞면 표지 디자인 설명

- 3) 책 앞면 표지 디자인 설명
책 앞면 표지 너비 1540PX * 높이 2160PX
(부크크출판사 A5 규격 148+6(제단 선) * 210+6(제단 선)= 너비 154mm * 높이 216mm)

#. 효율적인 표지 날개, 표지 작업과 전자책(PDF) 표지 작업을 위해 너비, 높이를 픽셀(PX)로 작업했다. 픽셀이 아닌 mm로 작업해도 된다.
#. Pixrl(픽셀): 유튜브 썸네일, 상세페이지, 커뮤니티 게시판 등.
#. mm또는 cm: 명함, 라벨, 액자, 머그컵, 현수막 등.

①번, ②번: 핵심 디자인을 가운데 배치했을 때 좌, 우 여백을 주어 안정적인 시각적 효과를 주기 위한 기본 좌, 우 100PX이다. (디자이너마다 다르니 참고)

③번: 위에서부터 150PX (책의 가장 위쪽과 시작하는 디자인과의 안정적인 시각적 효과를 주기 위한 여유 공간)

④번: 위에서부터 120PX (책의 가장 밑쪽과 저자, 출판사 로고와의 안정적인 시각적 효과를 주기 위한 여유 공간)

⑤번: 위에서부터 520PX (책 제목과 제목의 디자인을 안정적인 시각적 효과를 주기 위한 위치)

⑥번: 밑에서부터 440PX (책의 가치를 어필하기 하고 디자인을 안정적인 시각적 효과를 주기 위한 위치)

⑦번: 밑에서부터 215PX (책의 가치를 어필하기 하고 디자인을 안정적인 시각적 효과를 주기 위한 위치)

⑧번: 핵심 존. 책 표지 디자인에서 주인공이라고 느낄 수 있게 디자인을 해줘야 하는 곳이다. 《300만원 동기부여 강의》 책 제목에서 가장 중요한 콘셉트 디자인이 무엇일 거 같은가? '300만 원? 동기부여? 강의?' 이 3가지를 다 어필할 수 있는 디자인이면 좋다. 그 중에서도 핵심 디자인 콘셉트는 강의다.

강의 콘셉트를 상징하고 어필할 수 있는 빔 프로젝터와 스크린을 활용하여 책을 볼 수 있는 궁금증 유발, 호기심 유발을 할 수 있는 핵심 디자인과 핵심 문구를 만들어야 한다. "기존에 알고 있는 동기부여 책과 차원이 다를 거 같다. 무조건 책 읽어 봐야겠다."라는 느낌이 들 수 있는 핵심 디자인을 해야 한다.

《300만원 동기부여 강의》이 책에 모든 것이 압축되어 알 수 있는 곳이고 주인공이기에 가장 신경을 써야 한다.

\#. 화장으로 비유를 하면 외출할 때 하는 가벼운 화장 기법이 아닌 웨딩 촬영할 때 화장하는 풀메이크업을 해야 된다.

⑨번: **책의 가치, 내공, 값어치를 어필하기 위한 디자인이다.** 《300만원 동기부여 강의》 책의 가치, 내공, 값어치가 간접적으로 어필이 되어야 한다. 직접적으로 어필은 책 소개에서 하면 된다.

\#. 책의 가치, 내공, 값어치를 어필하는 다른 예시를 참고하자. 동기부여 사용설명서, 직장인 필독 도서, 리더 필독 도서, 동기부여 지침서, 자기계발 지침서, 동기부여 바이블... 등

종이책 표지 디자인 설명

⑩번: 저자 이름. 저자 이름 보다 저자가 어떤 전문가인지를 알리는 명칭을 쓰면 더 효과적이다.

⑪번: 출판사 로고. 부크크 홈페이지에서 '자주 묻는 질문' 으로 들어가면 도서를 클릭하면 로고 파일 다운로드가 있다.

⑫번: 책 제목. ⑧번 핵심 존 디자인 좌우 사이즈를 경계로 제목을 디자인한다. 핵심 존 디자인 다음으로 잘 보여야 할 것이 제목 디자인이다. 제목이 주인공일 기 같지만 표지 전체적인 디자인에서 핵심 디자인 어필이 되어야만 제목이 가지고 있는 뜻의 의미가 극대화 된다. (핵심 존 좌우 간격 260PX, 디자인마다 가격이 다를 수 있다.)

한번 생각해 보자. 제목이 화려한데 핵심 디자인이 제목을 받쳐주지 못하면 책 제목의 화려함은 장점이 아닌 단점이 되어 버린다. 지금 시대 평균적인 사람들의 시각적인 심리를 잘 읽어야 한다. 하루가 멀다 하고 대중매체, 유튜브, 인스타그램, SNS 등으로 인해서 어마어마하게 화려한 영상, 이미지를 보고 있다. 수준이 높아진 시각적인 심리 상황에서 일단 디자인이 화려하지 않으면 어필이 되지 않는다는 것이다. 다음으로 나오는《300만 원 동기부여 강의》책 표지의 화려하지 않는 책 표지 버전과 화려한 책 표지 버전 비교한 것을 보면 좀 더 이해가 될 것이다.

표지 비교

300만원
동기부여 강의

최보규 동기부여 일타강사

BOOKK

표지 비교

300만원
동기부여 강의

동기부여 UP

스마트폰은 사용하지 않아도 배터리가 소모되듯
동기부여 또한 숨만 쉬어도 소모가 된다.

"세계 최초" 동기부여 초고속 충전!

동기부여
일타강사 · 강사야
대표 강사 · 특허청
등록

최보규 동기부여 일타강사   BOOKK✏

종이책 표지 디자인 설명

③ 150PX

⑫ 300만원
동기부여 강의

⑤ 560PX

⑧ 동기부여
UP

스마트폰은 사용하지 않아도 배터리가 소모되듯
동기부여 또한 숨만 쉬어도 소모가 된다.

"세계 최초" 동기부여 초고속 충전!

① 100PX
② 100PX

⑥ 440PX

⑭ ⑨ 동기부여
일타강사   강사야
대표 강사   특허청
등록

⑦ 215PX
⑩ 최보규 동기부여 일타강사   ⑪ BOOKK

④ 120PX

⑬번: 배경 이미지. 《300만원 동기부여 강의》책은 강사가 강의하는 콘셉트이기에 강단을 화려하면서도 은은한 무대 사진으로 디자인했다. 배경 이미지가 화려해버리면 주인공이 죽는다. 배경 이미지는 제목 다음으로 조연배우다.

⑭번: 바탕색. 배경 이미지와 어우릴 수 있는 검정색으로 했다.

책등 표지 디자인 설명

- 4) 책등 표지 디자인 설명

① 책등 가로 사이즈는 책 페이지에 따라 다르다.

부크크출판사 종이책 만들기 1단계에 있는 도서 형태에서 장수를 입력하면 두께가 자동으로 설정된다.

예)100P = 7.8mm

《300만원 동기부여 강의》 책은 354P다.

354P = 21.07mm / 22mm로 한다.

#. 예시) 23.13mm 이면 소수점 뒷자리는 올림으로 24mm 로 디자인.

초고 → 원고 → 퇴고 → 탈고가 끝나면 최종 책 페이지가 나온다. 페이지 숫자를 입력하면 자동으로 책 두께가 계산 되어서 알 수 있다.

책등 표지 디자인 설명

② 책 등 A5 사이즈 - 세로 216mm

③ 인쇄할 때 위 절단선 - 3mm

④ 인쇄할 때 아래 절단선 - 3mm

⑤ 위에서부터 - 14mm

⑥ 위에서부터 - 107mm

⑦ 아래에서부터 - 100mm

⑧ 아래에서부터 - 34mm

⑨ 아래에서부터 - 10mm

⑩ 왼쪽에서부터 - 7mm

⑪ 오른쪽에서부터 - 7mm

⑫ 제목

⑬ 저자

⑭ 출판사 로고

⑬ **세상에는 3부류에 동기부여를 배우는 사람이 있다!**

⑭ **동포자(동기부여 포기자)**

수많은 동기부여 영상, 글... 등을 봤지만 전혀 동기부여가 되지 않아 동기부여를 포기한 사람.

⑮ **동포 예정자**

수많은 동기부여 독서, 자격증, 교육, 코칭을 받지만 그때뿐이고 시간, 돈 낭비만 하는 사람.

방탄
동기부여

NAVER 방탄동기부여

⑯ **동케시(동기부여 케어 시스템)**

동기부여를 시스템 안에서 동기부여 주치의에게 150년 a/s, 피드백, 관리 받으면서 자신 분야 변화, 성장을 초고속으로 준비 하는 사람.

- 5) 책 뒷면 표지 디자인 설명

#. 부크크출판사 A5 규격 너비 154mm * 높이 216mm

위, 아래 점선은 인쇄할 때 제단 선이다.

①번, ②번: 핵심 디자인을 가운데 배치했을 때 좌, 우 여택을 주어 안정적인 시각적 효과를 주기 위한 기본 좌, 우 18mm이다. (디자이너마다 다르니 참고)

③ 위에서부터 - 15mm

④ 위에서부터 - 52mm

⑤ 위에서부터 - 66mm

⑥ 위에서부터 - 101mm

⑦ 아래에서부터 - 100mm

⑧ 아래에서부터 - 65mm

⑨ 아래에서부터 - 50mm

⑩ 아래에서부터 - 15mm

⑪ 왼쪽에서부터 - 50mm

⑫ 왼쪽에서부터 - 53mm

⑬ 뒷면 표지의 핵심 문구 - 세상에는 3부류에 동기부여를 배우는 사람이 있다. (20,000명 심리 상담, 코칭하면서 알게 된 데이터)

⑭ 뒷면 표지의 핵심 문구 동포자 설명 - 동포자(동기부여 포기자): 수많은 동기부여 영상, 글... 등을 봤지만 전혀 동기부여가 되지 않아 동기부여를 포기한 사람.

⑮ 뒷면 표지의 핵심 문구 동포 예정자 설명 - 동포 예

정자: 수많은 동기부여 독서, 자격증, 교육, 코칭을 받았지만 그때뿐이고 시간, 돈 낭비만 하는 사람.

⑯ 뒷면 표지의 핵심 문구 동케시 설명 - 동케시(동기부여 케어 시스템): 동기부여를 시스템 안에서 동기부여 주치의에게 150년 a/s, 피드백, 관리 받으면서 자신 분야 변화, 성장을 초고속으로 준비하는 사람.

- 6) 책 뒷면 날개 표지 디자인 설명

① 책날개 기본 A5 사이즈 - 세로 216mm

② 책날개 - 가로 100mm

③ 인쇄할 때 위, 아래 절단선 - 3mm

④ 인쇄할 때 절단선 - 3mm

⑤ 위에서부터 - 15mm

⑥ 위에서부터 - 46mm

⑦ 위에서부터 - 52mm

⑧ 위에서부터 - 75mm

⑨ 위에서부터 - 79mm

⑩ 아래에서부터 - 15mm

⑪ 왼쪽에서부터 - 16mm

⑫ 오른쪽에서부터 - 10mm

⑬ 기억에 남을 강력한 디자인 - "80억 분의 1 검증된 전문가"(세계에서 방탄동기부여를 할 수 있는 사람은 한 명 뿐이다.)

⑭ 차별화가 아닌 초월 - 4차 산업 시대는 4차 동기부여인 방탄동기부여로 일반 충전이 아닌 초고속 충전!

⑮ 책 뒷면 날개 표지 핵심 디자인 존 - 자신의 무한한 가능성을 끌어올려주는 방탄동기부여! 자신의 사과 씨, 도토리, 포토 씨 믿으세요! 사과 씨 안에 얼마나 많은 사과가 있는지 모른다!

도토리 안에 얼마나 많은 도토리가 있는지 모른다!

포도 씨 안에 얼마나 많은 포도가 있는지 모른다!

자신을 믿지 못하겠다면 자신을 믿어주는 최보규 방탄 동기부여 창시자를 믿고 시작합시다.

시간, 경력만 채우는 노오력이 아닌 어제보다 나음, 변화, 성장, 배움으로 수입을 극대화시켜 결과를 만들어내는 올바른 노력을 해야 한다. 올바른 노력이 방탄동기부여다.

✓ 방탄book기술력을
무조건 배워야 되는 이유!

25가지

1. 스펙, 인맥, 돈, 외모... 현실 기준에 미치지 못하는 사람에게도 잘될 수 있는 기회를 준다.
2. 자신 분야 제2수입, 제3수입을 만들어 준다.
3. 현실 은퇴 나이 49세! 앞으로의 걱정, 고민, 은퇴, 노후를 해결해 준다.
4. 자신 분야 비수기 없는 시스템을 만들어 준다.
5. 한 분야 전문성으로는 힘든 시대! 일할 때 외에는 쓸모없는 경력, 스펙을 수입 창출할 수 있게 연결시켜 준다.
6. 커피숍에서 지인과 대화 중에도 돈이 입금되는 시스템을 만들어 준다.
7. 자고 있는데 돈이 입금되는 시스템을 만들어 준다.
8. 여행 중에도 돈이 입금되는 시스템을 만들어 준다.
9. (무인 시스템) 사무실, 직원이 필요 없는 시스템을 만들어 준다.
10. (온라인 건물주) 건물주처럼 월세가 입금되는 시스템을 만들어 준다.
11. 집에서 댕댕이와 휴식하고 있는데 돈이 입금되는 시스템을 만들어 준다.
12. 주위 사람 말에 흔들리지 않게 해 준다.
13. 자신의 가능성, 자신감을 향상시켜 준다.
14. 스트레스(멘탈) 관리를 잘할 수 있게 해 준다.
15. 자자자자멘습긍 학습, 연습, 훈련하는 방법과 자신을 진짜 사랑하는 방법을 알게 해 준다. (자존감, 자신감, 자기관리, 자기계발, 멘탈, 습관, 긍정)
16. 외로움, 우울함 관리를 더 잘할 수 있게 해 준다.
17. 나 너가 아닌 "우리, 함께"라는 마음을 알게 해 준다.
18. 자신도 "필요한 존재, 도움이 되는 사람이구나." 느끼게 해 준다.
19. 부정적인 비교보다는 긍정적인 비교를 더 하게 해 준다.
20. 가진 것이 부족해서 생기는 불만보다는 감사를 더하게 해 준다.
21. 자격 지심, 콤플렉스, 트라우마, 상처를 관리할 수 있게 해 준다.
22. 삶의 의욕을 넘치게 해 준다.
23. 자신의 가치를 찾게 해 준다.
24. 불행, 고난, 역경 힘든 시기가 왔을 때 지혜롭게 이겨낼 수 있게 해 준다.
25. 인생의 목표를 만들어 주고 인생의 방향을 잡아주며 인생을 어떻게 살아가야 하는지 알게 해 준다.

| Google 자기계발아마존 | ▶YouTube 방탄자기계발 | NAVER 방탄ook기술력 | NAVER 최보규 |

221

날개 표지 디자인 샘플

날개 표지 이미지

출간한 책 이미지

233

243

247

날개 표지 이미지

⑤　　　④　　　③　　　②　　　①

출간한 책 이미지

날개 표지 디자인 설명과 날개 표지 디자인 제작했던 샘플을 보니 어떤 생각이 드는가?

20,000명 심리 상담, 코칭 하면서 쌓인 내공과 종이책 150권, 전자책 250권 총 400권 출간했던 내공으로 당신이 지금 어떤 생각이 들었고 어떤 궁금증이 생기는지 맞혀 보겠다.

"앞에서 늘 강조했던 마우(마우스만 움직일 줄 아는 우주 초보) 실력으로 책 앞면 표지, 책 3D 입체 표지, 책 날개 표지까지 가능하다고? 믿어지지가 않은데? 진짜 마우 실력으로 가능하다면 이건 대박이다. 방탄book기술력은 무조건 배워야 되고 코칭 받고 싶다. 어떤 책 보다 디테일하고 정성스러운 설명들을 보니 최보규 방탄 book 코칭전문가님의 삼성(진정성, 전문성, 신뢰성)과 종이책 150권, 전자책 250권 총 400권 출간했던 내공이 느껴진다. 혼자서도 할 수 있는 설명인데... 아무리 쉬운 설명이라도 혼자 하기가 쉽지 않을 거 같은데..."

단언컨대 책 쓰기, 책 출간 그 어떤 책도 이렇게까지 디테일하고 쉽게 따라 할 수 있게 설명을 해놓은 책이 없다. 그래서 이 책 보는 사람이라면 천재일우(천 년에 한 번 만난다는 뜻으로 좀처럼 만나기 어려운 기회) 온 것이니 조상에서 감사하고 "내가 인생을 지금까지 잘 살아서 이런 기회가 오는구나."라는 마음으로 제대로 배우길 바란다.

아무리 쉬운 것도 처음 시도하는 것은 우주에서 가장 어려운 것이다. 사용 설명서만 들어도 척척척 하는 사람은 극히 드물다. 대부분 사람들은 하는 방법을 직접 설명을 들어야만 제대로 한다는 것이다.

시간, 돈 낭비를 줄이는 최고의 방법은 한번 배울 때 검증된 전문가에게 제대로 배우는 것이다.

평균 희망 은퇴 73세, 현실 은퇴 나이 49세!
100세 시대 언제까지 몸(노동)으로만
일해서 돈을 벌 것인가?

세상, 현실 기준에서 스펙, 돈, 인맥, 자산 등이 없어서 100세까지 노동을 해야 되고 몸까지 아프면 더 답이 없는 상황! 젊을 때는 100가지 중 99가지를 할 수 있지만 나이 들면 100가지 중 99가지를 할 수 없다. 3고 시대, AI 시대, 챗GPT 시대에 자신의 직업이 사라질 수 있는 상황에서 어떻게 준비, 대비할 것인가?

 방탄BOOK기술력
선택이 아닌 필수!

| Google 자기계발아마존 | ▶YouTube 방탄자기계발 | NAVER 방탄ook기술력 | NAVER 최보규 |

PPT에서 표지 날개 디자인

망고보드에서 책 앞면 표지 디자인을 제작하면 책날개 표지도 망고보드에서 해결을 할 수 있지만 마우(마우스만 움직일 줄 아는 우주 초보)들을 위해서 PPT에서 표지 날개 디자인하는 방법을 설명하겠다.

표지도 PPT에서 만들 수 있다. 하지만 저작권 문제, 디자인 퀄리티(Quality) 저하로 인해 표지 디자인은 무료인 미리캔버스, 캔바(Canva), 유료인 망고보드에서 만들길 바란다. PPT에서 책 표지 디자인을 퀄리티(Quality) 있게 제작하려면 PPT실력이 상급은 되어야 한다.
PPT실력이 마우라면 필자처럼 유료인 망고보드에서 퀄리티(Quality)있는 디자인을 전문가처럼 만들 수 있다.

《300만원 동기부여 강의》책으로 책날개 디자인을 하나씩(①번 ~ ⑤번 제작) 만들었다는 가정 하에 설명하겠다.

① 디자인

② 사용자 지정

③ 슬라이드 크기

④ 사용자 지정 슬라이드 크기

⑤ 너비 52.30cm (책 표지 날개 전체 너비 5,230mm)

⑥ 높이 21.6cm (책 표지 날개 전체 높이 2,160mm)

⑦ 확인 누르면 너비 52.30cm * 높이 21.6cm의 슬라이드 박스가 생긴다.

① 삽입

② 도형

③ 직사각형

④ 높이 (21.6cm)

⑤ 너비 (10cm)

⑥ 종이책 표지 날개(작가 소개, 작가 스펙, 책의 내공, 책의 가치, 책의 값어치)를 디자인할 수 있는 직사각형이 만들어진다.

PPT에서 표지 날개 디자인

① 삽입

② 도형

③ 직사각형

④ 높이 (21.6cm)

⑤ 너비 (15.1cm)

⑥ 종이책 표지 날개의 앞표지(책 제목, 핵심 문구, 핵심 디자인, 다른 책과 다른 디자인)를 디자인할 수 있는 직사각형이 만들어진다.

PPT에서 표지 날개 디자인

① 삽입
② 도형
③ 직사각형
④ 높이 (21.6cm)
⑤ 너비 (2.1cm)
⑥ 종이책 표지 날개의 책등(책 제목, 저자, 출판사 로고)을 디자인할 수 있는 직사각형이 만들어진다.

PPT에서 표지 날개 디자인

① 삽입

② 도형

③ 직사각형

④ 높이 (21.6cm)

⑤ 너비 (15.1cm)

⑥ 종이책 표지 날개의 표지 뒷면(앞면 표지 디자인 내용을 받쳐주는 디자인)을 디자인할 수 있는 직사각형이 만들어진다.

① 삽입

② 도형

③ 직사각형

④ 높이 (21.6cm)

⑤ 너비 (10cm)

⑥ 종이책 뒷면 표지 날개(책의 가치를 높여주는 디자인)를 디자인할 수 있는 직사각형이 만들어진다.

① 책날개 표지 도형을 클릭하고 오른쪽 마우스를 클릭
한다.
② 크기 및 위치.

③ 채우기 및 선
④ 그림 또는 질감 채우기
⑤ 삽입
⑥ 파일에서(컴퓨터 또는 로컬 네트워크에서 파일 찾아
보기. #. 책 앞면 표지 만들었던 폴더에서 이미지 삽입.

PPT에서 표지 날개 디자인

269

PPT에서 표지 날개 디자인

앞에서 동일한 방법으로 ②, ③, ④, ⑤또한 똑같은 방법으로 책날개 표지 도형을 클릭하고 오른쪽 마우스를 클릭 → 크기 및 위치 → 채우기 및 선 → 그림 또는 질감 채우기 → 삽입 → 파일에서(컴퓨터 또는 로컬 네트워크에서 파일 찾아보기. #. 책 앞면 표지 만들었던 폴더에서 이미지 삽입.

ppt에서 책 표지 날개 디자인을 완료했다면 이제는 인쇄용 이지지로 다운로드를 해야 한다. 부크크출판사에 등록을 할 때 인쇄용 이미지 300dpi로 다운로드를 해서 등록을 해야지만 승인이 된다. ppt기본 해상도는 96dpi 로 설정되어 있어서 인쇄 품질에 맞지가 않는다. 그래서 인쇄 기본 품질에 맞는 300dpi로 다운로드해야 한다.

다음으로 나오는 dpi 설명한 내용과 인쇄용 이미지 300dpi 다운로드하는 방법을 참고하자.

파워포인트 이미지 해상도, 크기 설정 방법

웹용 이미지 72dpi

(유튜브 썸네일, 상세페이지, 커뮤니티 게시판 등)

(단위: Pixrl)

인쇄용 이미지 300dpi

(명함, 라벨, 액자, 머그컵, 현수막 등.)

(단위: mm 또는 cm)

PPI = Pixel Per Inch - 디스플레이에서 사용

DPI = Dot Per Inch - 프린터 스캐너 등에서 사용

표현은 다르지만 보통 같은 단위로 사용됩니다.

<유튜브 PPT 디자인, 증증이는 작업중>

ppt 해상도 고화질 설정 및 파워포인트 이미지 저장.

파워포인트는 기본 해상도가 96dpi로 설정되어 있습니다. 인쇄용 이미지인 300dpi로 저장하는 방법을 알려드리겠습니다.

1. 윈도우키 + R 버튼을 누르면 실행 창을 띄운다.

2. regedit 이라고 입력하고 확인.

3. 레지스트리 편집 창이 뜨면

HKEY_CURRENT_USER 선택

4. SOFTWARE > Microsoft > Office > 파워포인트 숫자에 따른 버전 선택(파워포인트 2016 버전이면 16.0 으로 나온다.) > Powerpoint > Options

5. Options(옵션)누르면 창이 나온다.

마우스 우클릭 후 새로 만들기에서 DWORD(32비트) 값 (D) 선택

6. 마우스 우클릭 이름 바꾸기.

ExportBitmapResolution 입력.

#. 대문자와 소문자 똑같이 입력.

7. ExportBitmapResolution에 마우스 우클릭을 하고 10진수를 선택한 후 300이라는 값 입력. 창 닫기.

<네이버 블로그 With PPT 요모조모>

위에 설명을 듣고 한 번에 따라 하는 사람들은 마우(마우스만 움직일 줄 아는 우주 초보)가 아닐 것이다. 하지만 우리 마우들은 아무리 쉬워도 우주에서 가장 어려운 것이 되어 버린다. 하지만 걱정 말아라! 필자가 누구인가? 세계 최초로 방탄book기술력을 창시한 전문가이다. 필자도 마우 시절이 있었고 20,000명 심리 상담, 코칭하면서 알게 된 마우들의 고충을 알고 있다. 그 누구보다 마우들의 아픔, 힘듦을 알기에 유치원생들도 알 수 있는 이미지로 설명을 해주겠다. 그래서 이 책 보는 사람이라면 천재일우(천 년에 한 번 만난다는 뜻으로 좀처럼 만나기 어려운 기회) 온 것이니 조상에서 감사하고 "내가 인생을 지금까지 잘 살아서 이런 기회가 오는 구나"라는 마음으로 제대로 배우길 바란다.

노벨상 받은 사람, 하버드 대학교 교수, 은퇴 전문가, 노후 전문가들 1,000명 이면 1,000명 이 말하는 것은 최고의 은퇴 준비, 노후 준비는 100세까지 현역을 하는 것이다. 왜 가지고 있는 경력을 썩히고 있는가? 쌓은 경력은 사직, 퇴직, 은퇴... 하면 인정해 주지 않는 현실 속에서 쌓은 경력으로 100세까지 지속할 수 있는 JOB이 있다면? 나이 제한 없이 할 수 있는 JOB이 있다면?

🌐 특허청 등록 🌐
최보규 자기계발코칭 창시자
등록 번호: 제 40-2072344 호

🌐 특허청 등록 🌐
최보규 강사책출간 코칭전문가
등록 번호: 제 40-2200794 호

🌐 특허청 등록 🌐
최보규 리더동기부여 코칭전문가
등록 번호: 제 40-2128786 호

특허청 등록으로 검증된 전문가와 함께 시작하자!

Google 자기계발아마존 ▶YouTube 방탄자기계발 NAVER 방탄ook기술력 NAVER 최보규

인쇄용 이미지 해상도 300dpi 설정

실행

프로그램, 폴더, 문서, 또는 인터넷 주소를 입력하여 해당 항목을 열 수 있습니다.

열기(O): `regedit` ①

② 확인   취소   찾아보기(B)...

레지스트리 편집기

파일(F)   편집(E)   보기(V)   즐겨찾기(A)   도움말(H)

컴퓨터\HKEY_CURRENT_USER

이름	종류	데이터
(기본값)	REG_SZ	(값 설정 안 됨)

XEV.OriginalApp
xhtmlfile
x-internet-signup
XML
xmlfile
xslfile
zapfile
zune
HKEY_CURRENT_USER ③
AppEvents

\#. 윈도우키 + R 버튼을 누르면 실행 창을 띄운다.

① regedit 이라고 입력.

② 확인.

③ HKEY_CURRENT_USER → SOFTWARE → Microsoft → Office → 파워포인트 숫자에 따른 버전 선택(파워포인트 2016 버전이면 16.0으로 나온다.) → Powerpoint → Options

인쇄용 이미지 해상도 300dpi 설정

④ Options

⑤ 마우스 우클릭 후 새로 만들기

⑥ DWORD(32비트) 값(D) 선택

⑦ 마우스 우클릭 이름 바꾸기.

ExportBitmapResolution 입력.

#. 대문자와 소문자 똑같이 입력.

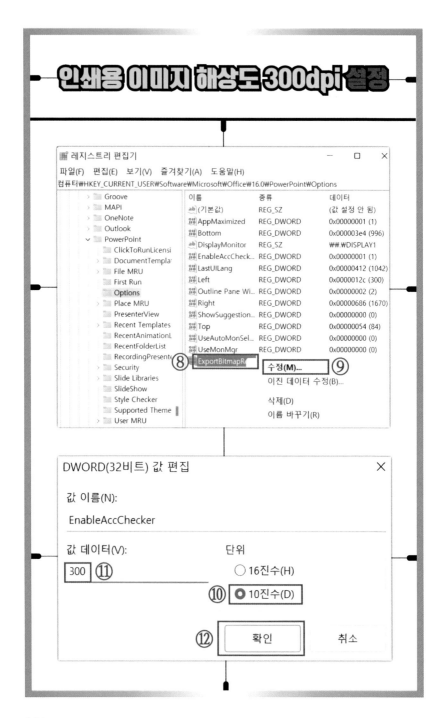

⑧ ExportBitmapResolution에 마우스 우클릭

⑨ 수정

⑩ 10진수 체크

⑪ 300입력

#. PPT에서 → 파일 → 다른 이름으로 저장 → 이PC → 파일 형식에서 JPEG 파일 교환 형식 → 저장하면 인쇄용 이미지인 300dpi가 만들어진다.

검증된 코칭전문가

특허청 등록
최보규 강사책출간 코칭전문가
등록 번호: 제 40-2200794 호

특허청 등록
최보규 자기계발코칭 창시자
등록 번호: 제 40-2072344 호

특허청 등록
최보규 리더동기부여 코칭전문가
등록 번호: 제 40-2128786 호

※ 상표 및 상호를 무단 도용할 경우
[특허법]에 의해 1억 원 이하의 벌금, 7년 이하의 형사처분을 받을 수 있습니다.